新潮文庫

風林火山

井上靖著

風林火山

風林火山

一章

青木大膳《あおきたいぜん》と言う三十前後の浪人者については、誰《だれ》もその前身を知っている者はなかった。今川義元《いまがわよしもと》の居館のある駿府《すんぷ》の城下へ流れ込んでから一年になるが、もと北条《ほうじょう》の家臣であったということと、素行が修まらず、何か大きな失策をしでかして主《しゅう》を失ったということ以外、誰も彼についての知識は持ち合わせていなかった。

今川の家臣たちも、青木大膳と道で会うと、大抵の者が彼を避けた。何かしら厭《いや》なものを彼はその面《おもて》にも姿態にも持っていた。顔は青白く、眉間《みけん》には傷があり、唇《くちびる》は薄く、歩く時長身の左肩が少し上がった。どちらかと言えば整った顔だちだったが、容姿風体《ふうてい》のどこかに残忍なものがあった。

腕は凄《すご》く立った。何流の使手と言うのか知らないが、一撃で必ず相手を倒す殺気を帯《お》んだ素早い太刀《たち》の使い方だった。

この春、城内の広場で試合があり、浪人者も飛入りを許されたが、その時、大膳の腕前は抜群だった。誰も彼の右に出る者はなかった。十何人の腕自慢の武士たちが、殆《ほとん》ど一撃のもとに叩《たた》き伏せられた。いずれも木刀で下から胸を突き上げられ、仰向けにのけ反《ぞ》った。一人は血を吐き、他の全部が多かれ少なかれ手傷を負った。浪人者青木大膳の名は、その時以来相当有名になったが、今川家からは仕官の沙汰《さた》はなかった。それだけの腕を持ちながら、何となく信用されぬ、人から疎《うと》まれるようなものを彼は身につけていたのである。

その日、青木大膳は暮方、彼が食客となっている屋形町の一軒の武家屋敷を出た。玄関口を出る時、小者が何か言葉をかけたが、いつものように返事をしなかった。小者はその家の主人の帰宅を知らせたのであるが、彼は聞えたのか、聞えないのか、不《ふ》貞腐《てくさ》った歩き方で裏木戸の方へゆっくりと足を運んだ。裏木戸へ廻《まわ》ったところを見ると、小者の言葉が耳に入り、主人と顔を合わせるのを避けたのかも知れない。

半刻《とき》程経《た》った頃《ころ》、彼は安倍川《あべかわ》のほとりを、やはり同じ歩き方で歩いていたが、やがて川が大きく屈曲しているところから堤を下に降り、二、三軒の農家の背戸を通って、竹藪《たけやぶ》の横手の破《や》れ寺《でら》に入って行った。

「居るか」

玄関の板敷のところで低く声をかけたが、返事のないのを知ると、そのまま木戸を開けて狭い中庭へ廻った。雑木が植わり、飛石がごちゃごちゃと配せられてある。「居るか」彼はまた声を掛けた。部屋の内部に人の気配があるのを知ると、彼は縁側に腰を降した。

「誰だ」少し嗄《しわが》れた低い声がした。

「青木大膳だ」

彼は横柄《おうへい》に答えた。内部からは、それに対して返事はなかった。

「青木大膳だ」

また彼は言った。眼《め》は、この二、三日急につめたい光を帯んで来た陽《ひ》に耀《かがや》いている庭の雑木に当てられたままである。

と、傍《そば》でかちりと音がした。見ると小判が一枚、彼の腰かけている傍に落ちている。彼はそれを手に取ってちらっと眼を当てた。面に蓙目《ござめ》があって、下に桐《きり》の極印《ごくいん》して、その内側に駿河《するが》の文字がある。

「一枚か」

青木大膳は鼻でせせら笑うと、

「騙《かた》り者奴《ものめ》が！」憎々しげに言った。

「武者修行が聞いて呆《あき》れる。諸州を経廻《へめぐ》り、国々の風俗を知り、要害の絵図を調べ、地理に能《よ》く通達しか！」

それから大膳は、言葉の調子よりずっと低い声で笑った。軽蔑《けいべつ》の気持がむき出しにされた厭な笑いだった。彼は平生《へいぜい》めったに口をきかず、無口で通っていた。併《しか》し、ここでは、彼の方ばかりが口をきいている。

「騙り者奴が！　兵法とはよくぬかしたな。城取り、陣取り、兵法の奥秘を極める。その上剣術は行流《ぎょうりゅう》の使手か！　行流というものの腕前を見せて貰《もら》いたいものだ。いつでも青木大膳、相手になって遣わす」

依然として、内部からは何の返事もなかった。すると、いきり立ったように彼は言った。

「もう一枚出せ！　同じ浪々の身でも、貴様の方は、世人をたぶらかして、俺《おれ》に較《くら》べるとずっと工面がいい。もう一枚出せ！」

すると、障子の隙間《すきま》から投げられたのであろう、また一枚の小判が、小さい音をたてて縁に落ちた。

「貰って行く。騙り者の面《つら》の皮をひんむくのは、十日程伸ばしてやる」

青木大膳は立ち上がった。それから、

「今日は急ぐ。夜、甲斐《かい》の武田の重臣に会って身売りの交渉をせねばならぬ。駿府の城には愛想《あいそ》をつかしたわい」

棄台詞《すてぜりふ》を残して、青木大膳が二、三歩歩き出した時だった。

「待て！」

と、嗄れた声がかかった。

「何か用か」

「武田の重臣と言ったな。誰だ？」

「おぬしも気になると見えるの。侍大将板垣某《いたがきなにがし》。名前などは知らん」

すると、暫《しばら》く間を置いてから、

「やすやすと仕官ができると思っているのか」

嗄れた声は言った。

「そんなことは知らぬ、当ってみるまでだ」

青木大膳が更に二、三歩歩いた時だった。障子が開いて、膝行《いざ》るようにして出て来たのは、ひどく小柄《こがら》な人物だった。顔つきから体つきまで全部異様だった。

「用か？」

青木大膳は振り返った。

「智慧《ちえ》を授けて遣わす――いいか、板垣と言えば、板垣信方《のぶかた》であろう。代々板垣は武田家の族臣で重きをなしている。現在、甘利《あまり》虎泰《とらやす》と板垣信方とを、武田家の両職となす。浪人者の売り込みなどにうかうかと乗る人物ではない。ただ一つ方法があるだけだ。いいか、貴公、その板垣信方を襲え！」

「襲う⁉ 襲って、何とする！」

「知れたことだ。貴公が襲って危いところを拙者が救う」

青木大膳はその相手の言葉の意味が、急には呑《の》み込めなかった。すると、小男のこの家の主人はまた続けて言った。

「それで拙者と板垣信方とは、ある関係ができる。人間、生命《いのち》を助けられるより大なる恩義はないからな、拙者も武田家に仕官を望んでいる。拙者が武田に迎えられる時、俺は貴公をも推薦する」

「芝居か」

青木大膳はぱっと唾《つば》を吐き、それから相手を見詰めた。

「併し、これ以外、確実な仕官の道はあるまい」

「騙り者奴！」

「嫌《いや》なら行くがいい」

青木大膳は暫く考えるようにしていたが、やがて縁側の方に引き返して来ると、

「本性を現したな。めっかち！」

縁側に端坐《たんざ》している人物の眼はなる程すがめである。どこを見ているか判《わか》らない。大膳が縁側の方に戻《もど》って来ると、縁側の人物は右手を縁側について腰を上げた。縁に当てた手の中指が欠けている。やがて、すうっと立ち上がったが、ひどく背が小さかった。到底五尺はない。小男は座敷に入った。

青木大膳は傍若無人に笑った。が、座敷に入った人物は笑わなかった。少し暗い部屋内で庭の赤い菊の花の方にいつまでも顔を向けている。併し、大膳は相手がどこを見詰めているか確《しか》とは判らなかった。

「人を傷《いた》めぬように襲うのは、ちと難しいのう、青木大膳、初めてじゃ」

彼は言ったが、部屋の人物は再び前のように口をきかなくなっていた。

「何とか言え！　言わぬか、山本勘助《やまもとかんすけ》！」

激情に襲われて、大膳は大喝《だいかつ》した。蒼白《そうはく》な顔が急にひき攣《つ》った。

「少々傷めてもいい、ただ殺されては困る。もとも子もなくなる！」

部屋からは、落着いた嗄れた声がかかった。

青木大膳は山本勘助が嫌《きら》いだった。半年程前初めて会った許《ばか》りだが、その時からこの人物を憎んでいた。性が合わないとでも言うか、この男の声を耳にすると、むしょうに、相手を苛《いじ》めて苛めて苛め抜き、ぐうの音も出ないようにしてやりたい欲望を感じた。従って、大膳が山本勘助の家を訪ねるのは金の無心もあったが、それより訪ねて行く心の底には、むしろ彼に厭がらせを言う欲求の方が強く働いていた。

浪人山本勘助の名は、駿遠参《すんえんさん》の今川家の領地では相当広く知れ渡っていた。参州牛窪《うしくぼ》の浪人で、駿府へ来たのは、九年前である。この九年間に度々今川家へ仕官を申出ているが、どういうものか、未《いま》だに採用されず、現在は、今川家の家老庵原忠胤《いおはらただたね》の庇《ひ》護《ご》を受けて徒食している。庵原忠胤が長年に亘《わた》って勘助に米塩の資に事欠かぬだけの面倒を見ているのは、勘助と忠胤が親族関係であるからだと、世間では取沙汰している。若《も》しそうでなければ、今川家で仕官も許されない、謂《い》わばその人物も器量も認めない者を、家老の忠胤が面倒を見る筈《はず》はないと言うのである。

剣は行流の使手で、今川家の家臣の中で彼に立ち向えるものはないと噂《うわさ》されている。併し、誰も実際に彼が剣を執ったのを見たこともなければ、戦場に臨んだ話も、人を殺傷した話も聞いていない。恐らくこの行流の使手であるという噂の蔭《かげ》には、彼の異相がかなり大きい役割を勤めていると思われる。

身長は五尺に充《み》たず、色は黒く、眼はすがめで、しかも跛《ちんば》である。右の掌《て》の中指を一本失っている。年齢は既に五十歳に近い。

彼が己《おの》が家を出て城下を歩くことは、一年のうち数える許りであるが、そんな時幼童は振向くが、大人は振返らない。彼の無慚《むざん》な面貌《めんぼう》風姿は、ある不気味さと痛々しさを兼ね備えている。幼童も振向くだけで、さすがに怖いのか彼のあとをついて歩くことはしない。

彼は、二十歳の時から全国各地を経廻り、軍旅に長じ、古今の兵法に明るく、城取り、陣取りの達人とされている。それにも拘《かかわ》らず、今川家仕官の儀が成立せず、九年も浪々の身であることは、むしろ逆に彼の盛名を高からしむるに役立っている。彼の頭脳と経験と才気をそねむものが府中の屋形様（義元）の側近におり、その勢力に依って、彼の仕官は執拗《しつよう》にはばまれているというのが、一般の取沙汰である。近年はその妨害者が彼の庇護者庵原忠胤その人であるという噂さえ生れていた。

併し、兎《と》に角《かく》、今川の家臣の者でも、こっそりと山本勘助の家を訪ねる者は少なく、夜になると、彼の居宅は宛《さな》ら私塾の観を呈すると言われている。

ただ青木大膳だけは、山本勘助に関するあらゆる風評を信用していなかった。騙り者め！　彼はそう思い込んでいた。併し青木大膳は、山本勘助の盛名のあらゆる要素を分析して、それについて疑惑の眼を向けているわけではなかった。彼が山本勘助を信用していないのは、彼の直感に依《よ》ってであった。山本勘助が、刀を執って立ち上がっている姿は、どうしても彼の眼に浮かんで来なかった。むりに思い浮かべると、それは颯爽《さっそう》としたところの微塵《みじん》もない、頗《すこぶ》る珍妙なものであった。

青木大膳が山本勘助に初めて会ったのは、半年程前であるが、一目彼を見た瞬間から、彼はこの人物を信用しなかった。剣の使手という者は、こんな人物ではないと思った。彼と一度仕合して化けの皮をひんむいてやりたいと思った。大膳は何回か勘助に剣を執らせようとしたが、絶対に相手は彼の要求に応じなかった。その度に、何だかんだと器用にはぐらかされて、逃げられていた。

大膳は、時々、思い出したように山本勘助の家を訪ねて悪口雑言を吐いた。それでも勘助は黙っていた。勘助に対する蔑《さげす》みと憎しみが、青木大膳には、いつか浪々の貧しい退屈な生活の中での、唯一《ゆいいつ》の生き甲斐のようなものになっていた。兵法や諸国の事情については、大膳自身何の知識も持合わせていなかったので、それについての評価を試みることはできなかったが、併しこの方も剣の腕前と同じことであろうと思った。一兵一卒を持たずして何の城取り、陣取りであるか！　全国を旅して歩いたというが、それも怪しいものである。一度大膳自身が生れた小田原付近の地理人情について質問したことがあったが、勘助は口を噤《つぐ》んで一語も発しなかった。全然知っていないと見るより他《ほか》はなかった。

青木大膳は、今日ゆくりなくも山本勘助が彼にぺてん師としての本性を示したことが、満足だった。安倍川の堤を、大膳は、いつもの場合とは違って、足ばやに歩いていた。

板垣信方を襲うということが、たとえそれが一つの芝居であるとしても、彼から久しぶりで退屈さを取り上げていた。ぺてん師め！　世をうまく欺《あざむ》き通しているが、俺だけは欺けなかったではないか！

彼の歩いて行く道の片側は安倍川の磧《かわら》、片側は一段低くなって、そこには耕されていない田野が拡《ひろ》がっていた。今年は米は出来まい！　この思いが、急に青木大膳の心を暗くした。米のこととなると、問題は切実だった。それでなくてさえ年々百姓が土地を棄《す》てて流民になって行き、田を耕す者は少なくなっている。今年はこの月の上旬、十日間に亘って、大雨が降り続いた。京都から東はどこも大変な水害である。この地方だけでもこの安倍川の川筋で流れた家の数は知れなかった。田圃《たんぼ》も流れ、馬や牛も海へ向って流れた。昨天文《てんぶん》九年にも、春に一度と、今年より少し遅れて秋口に一度大風雨があった。年々厭なことが続いて起っている。

甲斐へ仕官するか！　甲斐の方が少しはましかも知れぬ。山本勘助と一緒に仕官することは気が重いが、併しあんなかたわ者でも、一人で見知らぬ他国へ行くよりは幾らか気強いかも知れぬ。

併し、厭だな、あいつは！　青木大膳は、ふと足を停《と》めた。どうしても嫌だと思った。彼自身人から例外なく嫌な人間と思われている男だったが、その彼が、山本勘助だけは嫌だった。彼は幼少の時、芋畠《いもばたけ》で青虫を石で潰《つぶ》し、地面にこすりつけたことがあったが、そうでもしない限り、気持がおさまらぬようなものを、彼は盛名高いかたわの浪人者に感じた。

八月の初めだった。風はなかったが、ひんやりと夜気は冷たかった。秋の気が濃くなっている。

今川家の居館から程遠からぬところに、それを取巻くように侍屋敷が配されてあるが、それが切れると、だらだら坂になって下町に続いている。この辺は昼は相当人通りが多いが、日暮時から全く人の通行は絶えてしまう。集団をなす夜盗の群が、時折、足ばやに道を横切る許りである。道の両側の店舗もかたく表戸を閉ざしている。

青木大膳は、坂の途中にある大榎《おおえのき》の傍に、もう小半刻《こはんとき》も立っていた。ここを武田の重臣、板垣信方が通過するのを待っているのである。板垣は、四、五年前甲斐をその子信玄《しんげん》に追われて今川に身を寄せている武田の前総帥《そうすい》信虎《のぶとら》の御機嫌《きげん》伺いに伺候《しこう》し、夜分になって、やはり武田から信虎について派遣されている東雲半二郎《しののめはんじろう》の居宅へ帰る筈であった。青木大膳はその帰りを襲おうというつもりだった。

山本勘助とは今日は会っていない。併し、打合わせた場所は、間違いなくこの坂の途中の大榎の下である。板垣の姿を見掛けるや、彼はいきなり横から跳び出して斬《き》りかかる。供がいたら、二人でも三人でも斬って棄てる。そこへ山本勘助が姿を現す。二、三合彼と打合って、時刻を見計って横手の林の中へ逃げ込めばいい。仕事はただそれだけのことである。

青木大膳は周囲の闇《やみ》を見廻した。闇と言っても漆黒の闇ではない。暗い中に仄明《ほの》るいものが漂っている。この暗い空間のどこか程遠からぬ場所で、あの小男のぶざまな眼が、やはりこちらを睨《にら》んでいる筈である。

大膳は、次第に長く押し黙っていることの苦痛に堪えられなくなっていた。

「おい、ちんば！　勘助！」

低く呼んでみた。そして耳を澄ましたが、勿論《もちろん》それに対する応答はなかった。ちぇっと舌打ちして、それから、彼は地面にしゃがみ込んだ。

更に半刻経った。周囲の闇がいつか彼に兇暴《きょうぼう》なものを植えつけ始めていた。夜盗でもいい。野犬でもいい。やって来ないか！　斬ってやる！

そうした時、ひそやかな跫音《あしおと》が坂の上の方から近づいて来るのを彼は聞いた。跫音は一人ではなかった。近寄って来たのを見ると、三人連れらしかった。

「佐伯主水《さえきもんど》！」

大膳は立っている位置を動かないで、いきなり、彼の前を過ぎ去ろうとしている一行に声をかけた。勿論彼が口にした名前はその時出まかせのものだった。

それと一緒に先方の跫音がいっせいに止まった。

「佐伯などと申す者ではない。人違いでござろう」

一人が言った。

「しらじらしいことを申すな。偽っても駄目《だめ》だ！　一命を申し受けるため、わざわざここまで出向いて来た！」

「嘘《うそ》を言って何になる」

相手は言ったが、青木大膳はやにわに抜刀した。

それを知って、ぱっと、相手も背後に跳びすさった。

「待て！　人違いは迷惑至極。拙者は甲斐の武田家の家臣、板垣と申す者」

どっしりとした別の声だった。やはり、板垣だったかと、大膳は思った。

「板垣か何か知らぬが、一命を申し受ける！」

大膳は呶鳴《どな》った。

「物盗《ものと》り！」

その声と一緒に相手方も抜刀した。

青木大膳の眼の前に構えられている白刃の数は二本だった。そして、その二本の刀の少し背後で、またどっしりとした声が聞えた。

「怪我《けが》をするな！　気をつけて追い払え！」

大膳は、いま自分の前に構えている二人が板垣その人でないと知ると、いきなり跳び込んで一人の肩先を斬り下げた。悲鳴が起った。いったん跳び退《すさ》ったが、再度踏み込んだ時、もう一人の足を払った。こんども亦《また》悲鳴が起った。

瞬間のことである。すると、こんどは物をも言わずに板垣が斬ってかかって来た。
二、三合わせている間に相手の烈《はげ》しい息遣いが大膳の耳に聞えて来た。
「ひ、人違いではないか。拙者は武田の家臣板垣信方」

相手は言った。大膳は、黙っていた。

「それとも、やはり物盗りか？」

大膳は、斬ってはならぬ相手を、どう処理しようか、じりじりと詰めよりながら考えていた。

その時、相手から先きに踏み込んで来た。さすがに先刻の連中よりは確かな腕だった。大膳は相手の懐《ふとこ》ろに跳び込んで相手の右手を摑《つか》んだまま、じりじりと道の端へ押して行った。

「誰《だれ》だ？」

突然、提灯《ちょうちん》の火が横から大膳の顔を照らした。大膳はこの時初めて、自分が相手を土塀《どべい》に押しつけていることを知った。重臣と聞いたので老人かと思ったが案外に若かった。中年の武士である。

「物盗りにあって、難渋致す」

相手はせかせかした声で言った。

「お助け申す！」

明らかに山本勘助の声だった。青木大膳は板垣の手を放すと、さっと背後に跳び退《の》いた。そして、これからは、芝居の立廻りだなと思った。

その時、烈しい太刀風が真向から彼を襲った。あっと声を立てて、背後に跳びのく拍子に、青木大膳は石か何かにつまずいて背後に倒れた。

二の太刀、三の太刀が容赦なく斬りかかって来た。芝居どころではなかった。本当に斬ろうとする殺気が青木大膳に押しかぶさって来た。

話が違う！　大膳は坂の路面を転々としながら、やっとのことで跳ね起きた。いつか、眉間を割られたと見えて、血潮が眼に入った。それを手で拭《ぬぐ》っている暇がなかった。

「勘助！」

そう言ったまま、彼は右手の雑木林へ跳び込んだ。芝居なら、勘助の追撃はここで止まる筈だった。

振り向いた時、相手の太刀は彼に迫っていた。それははっきりと、彼が行くところについて廻って離れない執拗《しつよう》さを持っていた。

「狂ったか！」

青木大膳は叫んだ。

「狂いはせん！」

ひどく低い声だった。そして、それに続いて、

「斬る！」

と、勘助は言った。

「来い！」

青木大膳は、事情がまるで変っていることを感じながら叫んだ。相手は自分を本当に斬ろうとしている。自分も亦斬らねばならぬ。今までに幾十倍するかたわ者に対する憎悪《ぞうお》の念がこの時大膳の胸へ込み上げて来た。

併し、青木大膳は生れて初めて、恐怖に似たものを感じた。相手の刀の切先《きっさき》が、驚くほど低いところで静止している。小兵《こひょう》の男が、切先を地面に触れる許《ばか》りに低く下げている。そしてあのすがめで、じっと見据《みす》えられていると思うと、大膳は去りようも踏み込んで行きようもなかった。

じりじりと間隔が相手に依って詰められた。青木大膳は、まるで手の施しようのない気持だった。相手の刀が閃《ひらめ》いたと思うと肩先を斬られた。次に右の手首を、三度目に足を斬られた。

「待て！　待ってくれ！」

青木大膳は必死になって叫んだ。まるで大きな壁に向って叫んでいると同じだった。何を叫んでも、少しも相手の切先は容赦しなかった。

相手の山本勘助の体が次第に大きく見え、自分の長身が次第に小さく醜くなって行くのを、大膳は感じた。実際、青木大膳の眼は、一つの眼しか役をなさなくなっていた。足は跛になっていた。

「うぬ！」

それが断末魔の悲鳴だった。肩先から彼は二つに割られた。

二　章

駿府《すんぷ》の山本勘助のもとへ、仕官を勧める甲斐《かい》の武田家からの使者が来たのは天文十二年二月の中頃《なかごろ》である。勘助が得体の知れぬ浪人者青木大膳を斬って、武田の家臣板垣信方を援《たす》けてから一年半の歳月が経《た》っている。使者の言葉に依《よ》れば、知行《ちぎょう》は百貫で召し抱えたいとのことである。勘助は二日考えさせてくれと言って、一先《ひとま》ず使者を返した。

その日勘助は久しぶりで外出した。安倍川の堤に、早咲きの桜が咲きかかっている。

「城取り、城取り」

勘助は先刻から同じ言葉を口の中で繰返している。知行百貫か！　そんなことはどうでもいい。問題は実際に作戦に参画し、城取り、陣取りについての自分の才能を発揮できる地位を与えられるかどうかである。仕官に当っては条件をつけねばなるまい。

「城取り、城取り」

山本勘助は桜の梢《こずえ》を一度も見上げずに、桜の並木を通り抜けた。武家の妻女らしい女が、二人の供を連れて向うからやって来たが、勘助を見ると、怯《おび》えたように身を道の端に寄せた。

「城取り、城取り」

勘助は女には眼《め》もくれないで視線だけを宙間のやや高いところに置いて歩いて行った。右脚を地につける度に、彼の体はかなりの傾斜で折れ曲る。

駿府の街筋へ入る。彼の庇護者《ひごしゃ》である今川の家老庵原忠胤《いおはらただたね》の屋敷は、侍屋敷の入口にある。三本の欅《けやき》の大木を持っているので、城下の者たちからは欅屋敷と呼ばれている。

勘助はその欅屋敷の玄関から入って行く。取次ぎなしに、踏台に足を掛ける。廊下で女中の一人に会う。

「庵原殿は御在宅か」

「はい。ちょっとお待ち下さいませ」

併《しか》し、その言葉には耳も藉《か》さず勘助は廊下を歩いて行く。女中は先きに廊下を歩いて行って、主人に彼の訪問を告げたいらしいが、彼を追い越すことを躊躇《ちゅうちょ》している。容易に追い越させないものを、彼の短い軀《からだ》と、その歩行の姿態は持っている。

「居《お》られるか」

勘助は奥まった部屋の前で内部へ声をかけた。

「たれじゃ」

「山本勘助、お目にかかりたく出向いて参った」

奥からは返事はない。庵原の顔が急に嫌《いや》な奴《やつ》が来たといった表情に変るのが、勘助には眼に見えるようであった。

「失礼する」

襖《ふすま》を開けて、勘助は部屋へ入ると、それでも庇護者に対する礼儀だけはまもって、そこへ端坐すると軽く頭を下げた。

「今日は少し相談事があって罷《まか》り越した」

「なんじゃ」

書見していたらしく庵原忠胤は机の前に坐《すわ》っている。そして庭へ向けている白髪《しらが》首をゆっくりと勘助の方へ向けた。

「武田家から仕官を勧める使者が参った」

庵原は眼を動かしただけで、それには答えず黙っていたが、

「して、仕官する気か？」

「いつまでも浪々の身でいるわけには行かぬ」

「知行は？」

「百貫」

ちょっと間があったが、

「では、こちらも百貫出そう」

庵原の口からそんな言葉が出た。そして、

「今まで不自由をさせた覚えはないつもりじゃ」

「もう九年になる。捨扶持《すてぶち》はごめんだ。実際に城を取ってみたい」

「机の上の兵法で城が取れると思っているのか」

「取れる！」

勘助は唸《うな》るようにそれだけ言った。庵原はまた暫《しばら》く口を噤《つぐ》んで考えている風だったが、

「どうあっても仕官するつもりか。一応殿のお耳に入れる」

「いくら相談しても同じこと。他処《よそ》へ手放したくあるまい。と言って、自分のところ

で使うのは怖《おそろ》しい」

「口が過ぎる」

庵原がきっと言うと、勘助は、

「その通りではないか。山本勘助が怖しいか。使うことが出来ぬ程怖しいか」

それから口調を急に改めると、

「併し、九年間も衣食の世話をかけている。拙者も恩義だけは心得ているつもりだ。身柄《みがら》は武田に売る。が、心はこの駿府に留めておいてもいい」

その言葉と一緒に、低い笑いが勘助の口から洩《も》れた。不気味だった。

忠胤ははっとしたように、勘助の方へ顔を向けた。それでなくてさえ相手をつき放して見る癖のある庵原の眼が、その時つめたく光った。

「と言うのは？」

庵原は勘助を見守って、その意嚮《いこう》を窺《うかが》うようにした。

「武田の禄《ろく》も食《は》むが、今川からの禄も貰《もら》う」

「――――」

「もともと、今川氏の将来を卜《ぼく》して、九年間もこの土地を離れ得なかった拙者だ」

「――――」

「東海一の弓取りである今川家である。己《おの》が家臣を一人ぐらい武田へ派遣しておいても悪いことはないだろう」

勘助はそれだけ言うと、あとは黙った。

今川義元の妻は武田信虎の娘である。従って今川家と武田家とは姻戚《いんせき》関係にあったが、併し信虎は二十三歳の自分の子晴信《はるのぶ》（信玄）に放逐同様の処分を受けて、いま娘婿《むこ》である今川義元のところへ身を寄せていた。表面、武田、今川両家は同盟関係を持続しているが、信虎、晴信父子の不和はそのまま晴信と義元の間に冷い水脈を一本走らせている恰好《かっこう》である。

従って、今川としては、ひそかに禄を与えたまま、勘助を武田家へ仕官させるということも満更意味のないことではなかった。

勘助は立ち上がった。唐突と思われる立ち上がり方だった。庵原が勘助を呼びとめたのは、彼が廊下に出てからであった。

勘助が甲斐から彼を迎えに来た三人の武士に連れられて、富士川の東岸に沿って古《こ》府《ふ》へ向けて出立したのは、三月の初めである。

富士川の急湍《きゅうたん》の両側に迫っている山の斜面は漸《ようや》く萌《も》え出し始めた青葉で埋まってい

た。

途中で二泊した。勘助は、旅は嫌《きら》いだった。全国を武者修行して歩き、足跡の到《いた》らぬところはないような風評が彼を取り巻いていたが、彼は、自分の郷里である参河《みかわ》と駿河の一部しか知らない。全国を漫遊したなどとはとんでもないことであった。併し、彼はその噂《うわさ》を否定しなかった。否定する必要はなかった。彼は、西国でも東国でも、耳にする城下城下は実際にそうであるかのように、彼の持っている僅《わず》かな知識を土台にしてはっきりと眼に浮かべることができた。読書から得た、山と河川と平野と、その地方特有の気候の知識は、全く未知の城郭と城下街とその周囲の地形を、彼の眼前に彷彿《ほうふつ》とさせた。

彼は平生《へいぜい》遠隔の地から来た旅人に会うと、そこから詳細に亙《わた》っていろいろな知識を引張り出すことを忘れなかった。記憶力や想像力は、自分でも驚くほど非凡だった。一度聞いたことは決して忘れなかったし、ただ一つの知識の欠片《かけら》から、際限もなくいろいろなものを引き出すことができた。

途中まで板垣信方が出迎えに来た。衣服、乗馬、弓槍等は勿論《もちろん》のこと、勘助に仕える若党小者まで全部揃《そろ》えられてあった。

勘助は満足だった。自分の待遇が意外に至れり尽くせりであったということもあったが、それより甲斐の国の自然も地形も、彼が幾度も頭に描いていたものと殆《ほとん》ど違わなかったからである。古府の城下に入った時、勘助はこの城下の雲の色まで全く想像していたものと同じだと思った。

「古府へは何度目のお越しか」

と、板垣信方は訊《たず》ねた。

「三度目でございます」

と、勘助は答えた。そして、三度目と言っても、決してそれは嘘《うそ》ではないと思った。

勘助はその晩は武田の居館の北方にある部落の物持ちの家に一泊し、翌日、居館の広間へ晴信にお目見得《めみえ》するために伺候《しこう》した。武田の居館は全く城の形を取っていず、単に濠《ほり》を廻《めぐ》らしてあることだけが違う普通の館《やかた》だった。

館の広間には、正面に二十三歳の晴信、左右に武田の宿将老臣が居並んでいた。勘助は遥《はる》か下手に平伏した。近く寄れという晴信の言葉で、彼は立ち上がると、軀《からだ》を折って晴信の間近まで進んだ。

板垣信方の隣りは飯富兵部少輔虎昌《おぶひょうぶしょうゆうとらまさ》、その隣りは甘利備前守《びぜんのかみ》であろう。勘助は進みながらちらっと視線を投げて、三人の重臣の顔を眼に収めた。そして顔を伏せた時甘利備前守のつめたい眼が、瞼《まぶた》に消えないで残っていた。こいつ一人が嫌な奴だと思った。
晴信は一言も発しなかった。ただ倦《あ》きることなく、勘助の異様な面貌《めんぼう》を見守ってい
た。が突然、
「聞き及んでいたより数段まさった骨格である。百貫の禄は不足であろう。二百貫遣
わそう」
と言った。声は大きくはなかったが、ずしりと重い感じだった。勘助は驚いて顔を
少し上げた。すると、こんどは、
「晴信の一字を遣わす。以後勘助晴幸と名乗れ」
と言った。おそろしく気前のいい青年武将であった。勘助は黙って頭を下げた。
「御礼を申し上げるよう」
板垣信方が近寄って耳打ちした。勘助は顔を上げると、
「有難《ありがた》い仕合わせでございます。この上は早く城取りの合戦《かっせん》をいたしまして、御恩に
報いたいと思います」
と抑揚のない声で言った。
「城取りと簡単に申すが――」
晴信が言いかけると、

「は、城の取りよう、縄張《なわば》りには奥義《おうぎ》がございます」

「その奥義をきわめているか」

「は」その短い返事は誰の耳にも不遜《ふそん》に聞えた。この時、甘利備前守の不遠慮な低い笑い声が聞えた。

「合戦の場数は？」

甘利が横から訊《き》いた。

「一度もございません」

こんどは失笑が座の下手の方から起った。

勘助は併しそんなことには堪《こた》えなかった。急に、そのまま体をじっとそこに坐らせておくことが出来ないほど、身内から沸き上がって来るものがあった。簡単に城の幾つでも取れそうな自信と勇気であった。板垣信方が、やがて、

「退出して休息するように」

と言った。勘助は、そのまま晴信の前を退出した。

勘助が退出すると、甘利備前守が進み出て晴信に言った。

「一度も戦場に臨まないで、武略に通達するとは、口才を以て禄を望むくわせ者と見られても仕方ないと存じます」

と言った。すると飯富虎昌も、

「一両年召使われて、彼の働きをごらんになった上の御加恩が至当でございましょう。が、上様の人を御覧になることは神のようなところがございますので、何か特別なお考えでもございましょうか」

と言った。すると、晴信は、

「今から十年前、十三歳の時、余は参州牛窪《うしくぼ》に行き、勘助に会って、主従の約束を取り交わし、彼に諸国を経廻《へめぐ》らせている」

と、それだけ言った。晴信は無表情だった。

誰にも、それがその時の晴信の出まかせであることは判《わか》っていたが、晴信がそう言ったので、言葉を返すことはできなかった。板垣信方だけには、晴信が勘助をかばう秘密が判っていた。父信虎に疎《うと》まれて、不遇な幼少時代を送った彼は、妙に異相の武士とか、人から信用されぬ逆境にある武士とかの肩を持つ性癖があった。

山本勘助は板垣信方の計らいで、武田の居館の前にある侍屋敷の一隅《いちぐう》の瀬尾某の屋敷に、甲斐における第二夜を明かした。

翌日の午後、勘助は居館の背後の丘陵へ登って行った。館の直《す》ぐ背後からゆるやかな傾斜をなして、丘陵の裾《すそ》が続いている。その中腹まで行かないうちに、古府の城下は勿論のこと、甲斐盆地一円が彼の視野にはいって来た。

武田の居館を攻め落すのは、何でもないと思う。山上からみると、まるで無防備である。この無防備のままで、何事もなく今日まで来られたというのは、全く常に出《い》て闘って、国内に敵を引入れたことがなかったからであろう。若《も》し東海地方だったらこんなのんきな状態では一日も日を送れない筈《はず》である。

風が丘陵の裾の方から吹き上げて来る。それが汗ばんだ勘助の皮膚に心地よかった。勘助は一刻《いっとき》ほど傾斜面に耕されてある田圃《たんぼ》の畔《あぜ》に腰を降ろして、倦《あ》かず平原を眺《なが》めていた。甲斐は山国と言われるだけあって、盆地の周縁にはさすがにきびしい姿の山脈が見られた。

そうしている時に、ふと勘助は一騎の騎馬武者が彼の居る丘陵の中腹を目がけて上って来るのを見た。巧みな馬の乗り方である。やがて騎馬武者は勘助の傍《そば》に近づいて来ると、馬から降りて彼の方へ歩いて来た。そして、

「山本様でございますか。城内でお招《よ》びでございます」

と言った。

「ここに居たことがよく判ったな」

「ここへお登りのところをお見掛けした者が居りました」

勘助は立ち上がると、

「直ぐ伺候する」

と言った。武士はまた馬に跨《また》がると、またたく間に姿を小さくして行った。

勘助は晴信の招きであるとばかり思っていたが、城門を入ってみると、広場には紅白のだんだらの幔幕《まんまく》が張り廻らされて、太鼓が打ち出されている。武士が二、三人走り寄って来て、

「どうぞ」

勘助は幕の内部へ引き入れられた。

甘利備前守が正面の床几《しょうぎ》に腰かけ、その左右に何十人もの武士たちが居並んでいる。

勘助はそこへ引き出された。甘利が、

「山本勘助、行流《ぎょうりゅう》の腕前を見せてくれぬか」

と言った。

「迷惑至極なことでございます。殿のお招びと許《ばか》り思って参りました」

「行流の使手と聞いているが、あいにく甲斐には行流の流れを汲《く》む者はない。新当流の使手なら多少居る。手合わせをして見せて貰いたい」

勘助は仕合などというものには全然興味は持っていなかった。大体、行流の使手などということも、諸国漫遊と同様根も葉もない噂《うわさ》である。木刀など持ったことはない。剣を取ったのは、後にも先きにも、駿府で青木大膳を斬《き》った時だけである。どんな斬り方をしたか自分でもよく知らないくらいだ。斬ろうと思って、飛びこんで行って、彼の額を斬り、脚を斬り、肩を斬り、また額を斬り、最後に肩を割っただけである。青木大膳を斬ろうと思ったから斬っただけである。

併し、剣術はごめんだ。行流も、新当流も知らない。構え方の作法さえもろくに知っていない。

二、三人の武士がかけ寄って来たと思うと勘助は、木刀を握らせられ、あっという間に襷《たすき》をかけさせられてしまった。

「迷惑至極!」

言う間もなく、五、六人に抱きかかえられるようにして広場の真ん中へ連れ出された。

「迷惑!」

勘助は広場の中央から端の方へ逃れ去ろうとしたが、再びまた中央へ連れ戻《もど》らされた。その時、勘助は一人の中年の武士が木刀を構えたまま、じりじりと自分の方に詰めて来るのを見た。勘助に戦意がないので、仕合は全く一方的に開始された。

「迷惑！」

と呶鳴《どな》った時、したたか肩を打たれた。

「無法な！」

そう呶鳴った時、前とは反対の肩先が痺《しび》れた。しばらく感覚が蘇《よみがえ》って来ないほどの叩《たた》かれ方である。こんどは脚を払われた。両脚が横に跳ね上がって変な恰好《かっこう》で勘助の体は地面に落ちた。

喚声とも笑声ともつかぬ声が広場の周縁で湧《わ》き起っている。気が付いてみると、勘助は広場の中央の叢《くさむら》の中に尻餅《しりもち》をついていた。

急に周囲の騒擾《そうじょう》が水を打ったように静まったと思うと、幔幕の一カ所が割れて、小姓を従えた晴信が現れた。勘助は晴信の前へ招び出された。

「仕合をやったそうだな」

と晴信は、例の低い併し腹に滲《し》み渡るような幅のある声で言った。

「私の勝ちでございました」

勘助は言った。そして痛む左肩を右手で押えながら、

「いまの私の相手を致しました者は、実戦では役に立ちません。一撃のもとに相手に

倒されましょう」

「なぜだ」

「眼が死んでおります。死魚の眼に似ております。あれでは名もなき雑兵《ぞうひょう》にさえ打ち果されましょう」

勘助は言った。信用しているのか、信用していないのか、晴信は屈託ない顔で大きく頷《うなず》いた。広場では新しい仕合が始まっていた。勘助は一礼すると、晴信の前から退出した。肩も腰もひどく痛かった。災難だと思った。

甘利備前守が、追いかけるようにして勘助の傍へ近寄って来た。

「あれほど打ちのめされて、しらじらしい嘘を言うな」

と、彼は憎々しそうに言った。

「甘利様の御家臣でございますか」

「最近召抱えたものだ。東国の浪人だが腕は確かだ」

「あのような者は実戦のお役には立ちませぬ。お家の名折れになりましょう」

それから低く笑うと、幔幕を上げて、勘助は自分の小さい軀をその向うに匿《かく》した。

その夜、勘助は晴信に召されて城内に伺候した。晴信のほかに、板垣、甘利、その他四、五人の武将がその場に顔を見せていた。

「侍、下人《げにん》などは国々に依って変るものか」

と晴信は勘助に訊《たず》ねた。

「私は諸国を歩き国々の家風を見ました。その上義元公の御家も覗《のぞ》き、駿河に居た九年の間に諸国の浪人ともつき合ってみました。大体国全体が三つに分けられるかと思います。まず東の方が一つのかたぎ、尾州《びしゅう》から和泉《いずみ》までもまた一つのかたぎ、四国、中国、九州も大体同じかたぎでございます」

「どのように違うか」

「尾州から上、つまり東国は慇懃《いんぎん》なるは稀《まれ》で、横柄《おうへい》を表にいたし、贔屓《ひいき》の場合は、不足の者を誉《ほ》め、仲の悪い時は、手柄《てがら》のある者をも譏《そし》ります」

勘助は喋《しゃべ》り出すと、雄弁だった。何を訊いても、どこで覚えたのか滔々《とうとう》とまくし立てた。

板垣信方は勘助の推薦者だったのでそんな勘助に満足だったが、甘利備前守は苦虫を嚙《か》み潰《つぶ》したような顔をして黙りこくっていた。彼には勘助の饒舌《じょうぜつ》が全部嘘に聞えた。

諸国の地理から人情、風俗、軍隊の編成まで、勘助は問われるままに明快に答えた。

「敵国を伐《き》り取って、僅か一、二年の間に心服させる方法はあるか」

晴信が訊くと、

「敵国の人望ある者、名門の者などを抱え、本知を半分、時には全部与え、譜代衆と縁組させることでございましょう。その上、その国の出家、町人、地下《じげ》の有徳《うとく》なるものを呼び出し、言葉をかけ国の様子などお訊きになればよろしい。御馳走《ごちそう》するのは考えものでございます。安芸《あき》の毛利《もうり》元就《もとなり》は小身《しょうしん》より弓矢をとり、中国を征服、四国、九州にまで威光が及んでいますが、彼は先方衆を抱えられるに、常にこのようにしております」

六ツ半（七時）から四ツ（十時）まで勘助は一人で喋った。

戸外に風の音が烈《はげ》しく聞え出すと、一同は御前を退出した。勘助は板垣信方、甘利備前守の二人より一足先きに館を出た。

東の城門を出て、濠に架けてある橋を渡った。四辺《あたり》は一面の闇《やみ》だった。城内の老木の梢《こずえ》が風に鳴っている。濠に沿って歩いて行った勘助が侍屋敷の方へ曲ろうとすると、ふいに、闇の中から白刃が勘助の鼻先きへ突き出されて来た。全く不意の出来事だった。

勘助ははっとして背後へ跳び退《の》いた。白刃は彼について彼を追って来た。勘助は一歩一歩、どこまでも背後へ退《さ》がって行った。

そして館の北東を占めている御隠居曲輪《くるわ》の近くまで退がっても、なお白刃が彼の鼻

先きにちらついているのを知ると、勘助は初めて、

「何者だ！」

　と声をかけた。

「真剣の勝負が望みとあったので推参した」

　闇の中で返事があった。

「迷惑！」

　勘助は言った。そしていま彼の前に立ちふさがっている人物が、昼間の仕合の相手であることを知ると、

「勝負は昼間で既についている。貴公の方が強い」

「何を！　聞く耳持たぬ！」

　瞬間、勘助は半間程背後に跳び退いた。そしてまた言った。

「迷惑！」

　それから、

「血迷ってはいかぬ。拙者は上様直き直きのお招きで――」

　すると、相手の笑いが聞えた。

「なんの、斬って逐電《ちくてん》するまでだ。生命《いのち》が惜しいか、幾ら惜しくも、気の毒だが斬っ

てやる」

「逐電する？」

「いかにも」

「そんなに斬りたいか」

「斬りたい」

そう言った時だった。

「よし、それなら俺《おれ》も斬る」

彼は抜刀した。

「来い！」

勘助はじりじりと詰めて行った。一歩踏み込むと、切先が相手の眉間《みけん》を斬った。

「うぬ」

相手はこんど一歩退がった。勘助はまたじりじりと詰めて行った。そして一歩踏み込んだ。短い方の右脚が先きなので、体が大きく揺れた。

それと一緒に、相手から悲鳴が上がった。

「ぎゃッ！」と夜鳥の啼《な》く声に似ていた。右肩を斬ったのだ。

勘助はまたじりじりと詰めて行った。

「待て！ 待ってくれ」

勘助は待たなかった。またじりじりと詰めて行く。その時だった。

「待て！」

暗闇でこんどは別の声が聞えた。二、三人の人影が動いた。それと一緒に松明《たいまつ》の光りが辺りを明るくした。いつか二人の格闘者は城門の前へ来ていた。板垣、甘利、その他二、三人の顔が見える。

「待て！ 待たぬか」

誰かが大喝《だいかつ》した時だった。勘助はそんな声は受けつけないで、踏み込んだ。

夜鳥の啼き声がまた相手から起った。勘助は静かに刀を引くと、自分の体を闇の中に置いて、そのまま立っていた。松明の光りの輪の中で、相手の大男は暫《しばら》く突立っていたが、やがてばったりと背後に倒れた。新当流の使手は脳天を二つに割られていた。

その死体を覗くようにした甘利備前守が、勘助の方を見た。不気味な、理解し難いものを見詰める眼であった。

「山本勘助か？」

「は」

「斬ったのは、そちに違いないな」

「はッ」

「そちが斬ったのだな？」

「はッ」

甘利備前守は、いきなり松明の光りの中から脱《ぬ》け出すと、一人で歩き出した。そして途中で背後を振り向くと、

「山本勘助！」

と呼んだ。返事がないと、彼は再び足早に歩き出した。彼には、山本勘助が、いまや妖怪《ようかい》以外の何ものにも見えなかった。

勘助は、板垣信方と一緒に、侍屋敷の方へと歩いて行った。途中から坂になった。

「合戦以外、人を殺傷することはよくないな」

と、信方は言った。

「はッ」言ったまま、勘助は凄《すさま》じい風の音を聞いていた。青木大膳を斬ったあともそうだったが、いまも全身に軽い疲れを感じていた。抜刀して、相手を斬ろうと思うと、必ず相手を斬れることが、勘助には、別に不思議には思われなかった。自分にはそんな力があり、自分は、そんな人間だと思った。

「来月からずっと合戦が続く。足軽二十五人を預けるから、忠勤を励むよう」

そんな信方の声が、その時だけ勘助の耳にはいった。勘助は、その前後を聞いていなかった。

「足軽大将と言うのは」

また、板垣信方の声が、ぽつんとそれだけ聞えた。

勘助は自分の部署などたいして興味はなかった。

「城取り、城取り」

彼は心の中で繰返して呟《つぶや》いていた。彼は合戦のある度に、城が取れそうな気がしていた。そして晴信という若い武将と一緒に合戦に出掛け、彼のために次々に城を取ってやることが、ひどく楽しいことのように思われた。合戦というものは、まだ実際にそれを知らないせいもあったが、勘助にはひどく静かなものに感じられた。干戈《かんか》の響きなど微塵《みじん》も聞えて来なかった。彼の瞼《まぶた》に浮かぶ城もそれをめぐる兵の動きもひそやかな一枚の陰画であった。

勘助は板垣信方と別れると、こんどは一人になって自分の宿舎の方へ歩いて行った。坂の下から砂塵《さじん》が吹きつけて来た。勘助は中指のない右の手で、まともな方の眼を押えた。少し仰向けた彼の顔に、東海では見られない青味を帯んだ冷い星が、まるで手の届きそうな近い距離で対《むか》い合っていた。勘助は、一歩は低く、一歩は高く坂を下って行った。

三章

武田晴信が二万の大軍を率いて、信濃《しなの》の高原御射山《みさやま》に陣したのは、天文十三年二月のことである。諏訪《すわ》の豪族諏訪頼重《よりしげ》を撃つためである。

信濃経営の第一歩として、武田氏にとっては、諏訪の攻略は、信虎の時代からの懸案であった。併《しか》し、信虎は駿河《するが》、相模《さがみ》方面への出兵に忙しかったので、ことさらに諏訪氏と事を構えることを好まず、六女を頼重の室として送って、諏訪氏を己《おの》が傘下《さんか》へ入れた。武田家から送られた頼重の室は、禰々《ねね》御料人と呼ばれ、美貌《びぼう》をもって知られたが、二年前に十六歳で他界した。

晴信は父の信虎と違って、諏訪を実質的に自分のものとしようとした。彼はこの一、二年、諏訪頼重を撃つ口実を探していたが、たまたま、高遠《たかとお》城主高遠頼継から、頼重に叛心《はんしん》あることを知らされたので、それを理由にして、直ちに諏訪攻略の軍を動かすに至ったのである。

併し、晴信は、御射山に陣してから、何となく心重かった。父信虎を駿府へ追いやった時もそうだったが、ひどく後味の悪い合戦になる予感があった。禰々御料人は他界していたとは言え、諏訪頼重は晴信にとっては妹婿《むこ》である。それをどこまで本当であるか判《わか》らぬことを口実に葬り去ろうとしていた。気持のよかろう筈《はず》はなかった。陣所の周囲に梅が多かった。白い花が埃《ほこり》のない高原の空気の中に点々と咲いていた。その梅の白さが、二十四歳の晴信の心に沁《し》み、晴信を妙に落着かなくしていた。不思議に戦意が湧《わ》かなかった。

御射山に陣した夜、高遠頼継から使者が来て、ここ二、三日中に杖突峠《つえつき》を越えて、いっきに諏訪氏の居城である上原城へ乱入するから、それに呼応して武田の主力を東方から進めて貰《もら》いたいということであった。

高遠頼継の使者が帰って行くと、晴信は主だった将士を集めて、改めて作戦を練った。晴信は、弟の左馬助信繁《さまのすけのぶしげ》を攻略軍の総指揮者に任じ、自分は後詰《ごづめ》としてなるべくなら御射山の陣から動くまいとした。

「たかが湖畔の小城の一つや二つ、二万の軍勢が総出でかかるには及ぶまい」

と晴信は言った。合戦好きの晴信にしては珍しい言い方だった。

「併し、宮川村か、安国寺付近までは御出馬が御肝要と思います」

板垣信方が言うと、他の部将たちも、信方の意見に賛成した。

その時末座の方で、全く別の意見を出したものがあった。山本勘助である。

「わたしが考えますのに、武田家と諏訪家とは姻戚《いんせき》関係であります。この期《ご》に及んで変なことを言い出すようですが、山本勘助はどうも、この合戦には乗り気でありません。ここまで出陣したことで、諏訪を威嚇《いかく》する役目は充分果しております。若《も》し、刀に血ぬらないで、和議が調《ととの》いますなら、これに勝ることはないと存じますが」

一座の空気は急に白けてしんとしてしまった。合戦を明日に控えて、合戦の不服を唱え出したからである。日頃、勘助贔屓《びいき》の板垣信方までがさっと顔色を変えた。

「なんと言う！　山本勘助！」

呶鳴《どな》ったのは信繁であった。返事によっては許さぬといった怒気が若い武将の面上に漂っていた。

「まあ、いい」

晴信は取りなすように言った。彼だけが勘助の言葉で吻《ほっ》とした。勘助の言のように、彼も亦《また》、合戦に乗り気でなくなっていた。自分の思っていることを勘助が言い出してくれたので助かった気持だった。

「何かいい考えがあるか」

晴信は勘助に訊《き》いた。

「は、勘助を諏訪へ使者としておたて下さいませんでしょうか。先方へよく事の理《ことわり》を話し、従属を誓うよう交渉してみましょう」

もともと、頼重が晴信へ面白《おもしろ》からぬ感情を持っているとすれば、その原因は、晴信が父信虎を駿府へ追い出したことである。併し、そうせざるを得なかった事情を話せば、頼重も納得しないわけはない。――こう言うのが勘助の意見であった。

この勘助の考えは、一座の武将たちが納得する筈はなかったが、晴信は、

「諏訪の城を攻め落すのは朝飯前の仕事である。こんど落さなくても、その気になれば、いつでも落せる。自分もここまで出向いては来たものの、諏訪へ軍を進めるのは、なんとなく寝覚めが悪い。もう一度、勘助を使者に立て、頼重に会わせてみたらどうであろう。こちらの納得するような条件で和議が結べたら、それはそれでよくはないか」

こう言った。晴信が言い出したので、誰も反対は唱えなかった。言い出したら、自分の思うようにしかしない晴信であることは、誰もよく知っていた。使者は勘助に決った。

「勘助、いつ発《た》つ？」

晴信は言った。その晴信の声を、末座で平伏したまま勘助は聞いていた。

「即刻、ここを出ましょう」

彼は言った。勘助は、自分を召し抱えてくれた若い武将が好きだった。晴信は彼がこの世で好感を持った唯一《ゆいいつ》の人物であった。勘助は地上の人物の誰もが嫌《きら》いだったが、晴信だけは好きだった。晴信のためには生命《いのち》も惜しくない気持だった。そんな魅力がこの若い武将のどこから出て来るか判らなかったが、勘助は晴信にだけは全く違った気持で向った。

晴信は勘助を時には面と向って「ちんばの勘助」と呼ぶことがあった。併し、そう呼ばれても少しも腹立たしくなかった。晴信の声の中には、軽蔑《けいべつ》が微塵《みじん》もはいっていなかった。幼少から蔑視の中に生い育って来た異相人は晴信に遇《あ》って初めて、自分に投げられる爽《さわ》やかな視線のあることを知ったのであった。

勘助は、合戦を明日に控えた今日、何もわざわざつむじ曲りの意見を申し立てたわけではない。彼は、軍評定の席で、いつになく晴信がこんどの合戦に消極的であることが気になっていた。それが不審でもあり、不安でもあった。これは一体どうしたことだろう？　勘助は末座で、一人でそのこと許《ばか》りを思い詰めていた。そしてふと顔を上げた時、勘助の眼はたまたま晴信の眼とぶつかった。その時、勘助の口からは憑《つ》かれたように言葉が飛び出して来たのである。

場所柄《がら》言うべからざる言葉であった。下手をすれば、自分の生命にかかわる発言であった。勘助はそれを自分が発言したのか、晴信が自分に乗り移って、自分に言わせたのか、よく判らないような気持だった。ただどうしてもそれは言わねばならぬことのように感じられた。

そして、その発言を晴信が取り上げてくれた時、勘助は吻としたというより、自分だけが晴信の心の内側に跳び込めたことが満足だった。広い額と、炯々《けいけい》たる眼光を具《そな》えている青年武将を、勘助は半ば見惚《みと》れるように見上げながら、

「いたずらに軍を進めることだけが、兵家の道ではありませぬ。一兵をも損ぜず、諏訪を手中に収めるよう、勘助、ただ今より使者に立ちましょう」

その言葉は晴信を除いた並みいる武将たちには、一様に不遜《ふそん》に嫌味《いやみ》に聞えた。

勘助は、もう一方の攻撃軍である高遠頼継へ諏訪攻撃中止の使者を立てることを頼んでおいて、自分はその夜のうちに、三人の騎馬武者を連れて、御射山の陣を出発した。

勘助の一行は翌早朝、高原を降って、諏訪盆地の一角へ降り立った。そして敵からの攻撃を受けないように、敵の部隊の配されていない地点を縫って歩いて、その日の

暮れ方に、諏訪氏の居城である上原城を指呼の間に望む地点へ出た。

そして、諏訪の部隊の陣地へ近づくと、そこへ疾風のように、馬首を揃《そろ》えて駈《か》け込んで行った。

「急の使者でござる。諏訪様にお目通り願いたい」

勘助は、城門前の広場で、馬を輪乗りしながら、八方に呶鳴った。供の三人の武士たちも、同じことを叫んだ。勘助と三人の武士は、忽《たちま》ち馬から降ろされ、大勢の武士たちに取り巻かれた。

勘助が城内に引き入れられ、床几《しょうぎ》に腰かけた諏訪頼重の面前に引き出されたのは、一刻《とき》ほどしてからである。燎火《にわび》が赤々と燃えていた。頼重は、晴信より少し年配の武将であった。女にしたいような美貌以外、たいして取得のなさそうな人物であった。

勘助が使者として、晴信の言葉を言上すると、頼重は突然笑い出した。ヒステリックな笑い方だった。笑いをとめると、

「万事承知したと申し伝えられたい」

彼はこう言った。今日明日にやって来る筈の死期が、ふいに彼の前から前方へ押しやられた感じだった。彼はまたヒステリックに笑った。

「あとで問題の起りませぬよう、御領地の境を決めておきたいと存じます」

「蔦木《つたぎ》を以《もっ》て境とする。それより東の米は一粒も取らぬ」

頼重は蒼《あお》い顔をして、事務的に言った。

「以後御兄弟の誼《よし》みを復活して戴《いただ》きとう存じます」

「それもよかろう。弟として、こちらから古府《こふ》に出向かずばなるまい」

こんどの合戦が、頼重にとっても好まぬ戦いであることは明らかだった。すべての条件がすらすらと片付いて行った。

酒肴《しゅこう》が出されて、勘助は頼重の前から退出した。

来る時とは違って、帰りは勘助の一行は鄭重《ていちょう》に送り出された。城門まで、頼重も送った。頼重の傍《かたわら》には、侍女に付き添われた十四歳の女《むすめ》もいた。父の面差《おもざ》しを受けついだ眼のさめるような美貌だった。

「姫さまでございますか」

勘助は頼重に訊いて、それが彼の女であることを知った。勿論《もちろん》二年前亡《な》くなった禰々御料人の女ではなく、側室小見氏に出来た女であった。

その少女だけがはっきりとそれと判る敵意の眼眸《まなざし》をもって、勘助を見ていた。どの武士たちも、和議を悦《よろこ》んでいたが、この少女だけがそれを欲していないかのような印象を、勘助はその時受け取った。そしてそれがむしろ彼には新鮮に感じられた。

勘助が御射山の陣に帰り、晴信に諏訪頼重からの返事を伝えたのは、翌日の正午《ひる》であった。

晴信は、勘助の取り決めに満足し、諏訪から勘助に同行してきた使者にも会った。その夜、部隊全員に酒が振舞われ、それから三日目に、晴信は軍を古府に返した。

諏訪頼重が旧交を回復するために、古府へやって来て晴信に会ったのは三月の終りであった。晴信は悦んで頼重を手厚くもてなして帰した。

頼重は翌四月、もう一度古府へ晴信を訪ねて来た。二度目に頼重が来た時、この前と同じように饗宴《きょうえん》が開かれた。晴信はわざわざ能を興行させ、主だった武士にも陪観を許した。

頼重が帰ってから、晴信は将士に頼重の人物の批評をさせた。頼重は武田家の将士の誰にも好感をもって見られていた。気品もあり、温厚であり、如才なかった。

「いかに御姻戚の間柄とは言え、この時代に僅《わず》かの供を連れただけで、古府までやって来るとは、大胆至極だと思います」

晴信の弟の信繁が感歎《かんたん》して言った。

「やはり稀《まれ》に見る若大将でありましょう」

甘利備前守も言った。

「信方はどう思う？」

晴信に訊かれると、板垣信方も、

「将来、上さまのよき御力と存じます」

と答えた。

「勘助は？」

最後に勘助が訊かれた。

「わたくしの考えはお人払いの上でないと申し上げられませぬ」

と勘助は言った。晴信は人払いはしないで、

「勘助、庭へ出よう」

と言って、座を立つと、自分から先きに庭へ降りて行った。

居館を取り巻いて、椎《しい》の大木が何本も植わっているが、その木の下まで来ると、

「蟬《せみ》がないているな」

と晴信は言った。むし暑い日だったが、その木蔭《こかげ》だけが涼しかった。御射山への出陣以後、珍しく合戦のないままに、春を送り、夏を迎えようとしていた。

突然、勘助は言った。

「お斬りになりますか」

ぎょっとしたように、晴信は振り向いて勘助を見た。

「誰を」

「諏訪様でございます」

「斬りたいか」

「斬った方が――」

勘助は言った。

「御射山の陣で和議をすすめたのは汝《そち》ではないか。いま斬ったら――」

「世間のうるさいことは致し方ありません。後味も悪うございます。でも今のうちに斬ってしまわないと――」

「致し方ない、斬れ！」

「お任せ戴《いただ》きとうございます」

勘助は表情一つ変えず言った。

晴信は、勘助が、どうして自分と全く同じ心の動きを持っているかが判らなかった。

晴信は、この日頼重を送り出してから、彼を堪らなく斬りたくなっていたのである。なんとなく生かしておいたら、後年禍《わざわ》いになるだろうと思った。

勘助の方は、この前、御射山の陣で和議を唱えた時と同様、晴信が周囲の者から頼重の人物評を訊こうとした時、その晴信の面上に、何か心平らかならざるもののあるのを見て取ったのである。そして自分自身も亦《また》、心がやはり同じように落着かぬ状態にあるのに気付いた。

一体これは何であるか？　晴信から「勘助？」と声をかけられて、顔を上げた時、勘助の口からは、自分でも知らぬ間に「お人払いを」という声が出た。頼重を斬るという自分の心の内部にひそんでいた考えが、その時初めて正体を現したのであった。

三度目に頼重が古府にやって来たのは、六月の中頃《なかごろ》であった。また居館で饗応のために能が行われた。そして、能半ばに、中間頭《ちゆうげんがしら》荻原弥右衛門尉《おぎわらやえもんのじよう》が、頼重の席へ廻って行って、

「主君の命でお生命頂戴《ちようだい》します」

言葉は丁寧だったが、言うや否《いな》や、いきなり真向《まつこ》うから斬りつけた。頼重は脇差《わきざし》を抜こうとしたが、そのまま二の太刀で斬り伏せられた。

能を観ていた者は、この全く思いがけない騒ぎで総立ちになった。荻原弥右衛門尉の行動が、果して晴信の命令であるかどうか、誰も直ちには判断がつかなかった。

部屋の隅《すみ》に居た勘助は、ゆっくりと人々を押しわけ、頼重の死骸《しがい》に近づくと、上か

らじっと見降ろしていたが、

「確《しか》ととどめをさすよう」

と、荻原に命じた。荻原は勘助の視線が自分に当てられているのが判らなかったので、暫《しばら》く、ぼんやりしていたが、再び、

「荻原、とどめを！」

と言われて、頼重の死体に、身を屈《かが》めて覆《おお》いかぶさって行った。

それから一刻して、勘助は晴信の前へ伺候《しこう》していた。

「一体何故《なにゆえ》頼重を斬ろうと思ったのだ」

晴信は改めて勘助に訊ねた。

「いかに和議が調いましたとは言え、三月、四月と二回も続けて古府へ来るということは、よほどの決心でございます。こちらを油断させる魂胆と存じました。殿も礼儀として一度は諏訪へお越しにならなければならなくなりましょう。その時が危いと思いました」

すると、晴信は笑い出した。

「生命を助けてやったり、斬ったり、忙しいことだ」

「これから忙しいことばかりが続きましょう。今度こそ、こうなりました上は、諏訪

を武力で取ることが肝要でございます」

「今夜にも再び御射山《みさやま》へ陣を張るか」

「早過ぎると思います。暫く様子を見た上の方がよろしゅうございます。頼重を斬り、直ちに諏訪へ向けて軍を進めますのは、いかにも騙《だま》し打ちの感が強うございます。向うから合戦をしかけて来るまで、お待ちになったら如何《いかが》です。ほっておいてもたいしたことはありませぬ」

晴信は暫く考えていたが、

「よし、そうしよう。信方を呼べ。もう出陣の用意をしているかも知れぬ」

晴信の想像通り、やって来た板垣信方は武具をつけて、出陣の装束だった。

「その恰好《かっこう》はどうした」

「諏訪様を斬ってしまいました以上は、致し方ありませぬ」

「向うが仕かけて来るまで待ったらどうか」

晴信の言葉で、信方は考え込んでいたが、じろりと勘助の方を見ると、

「御射山の陣で、あのまま、諏訪へ働きかけてもよかったではないか、徒《いたず》らにことが長びくばかりだ」

と、冷い口調で言った。勘助が要らぬ差出口するために諏訪攻略が手間取るという

非難の口吻《くちぶり》だった。勘助に好意を持つ信方だったが、この時は冷い眼で勘助を見た。

勘助は、小さい体を真直ぐに起して坐《すわ》っていた。相変らずどこを見ているか判らぬ顔つきだったが、彼はその時、自分が一度行ったことのある上原城と、それを囲む地勢を頭に描いていたのであった。信方の言葉など受けつけぬ熱心さで、彼は、上原城攻略の手筈《てはず》を考えていた。

そして上原城は三日で落せると思った。上原城が落ちれば、そこから二里程の地点にある高島城の城取りは一日で充分である。いずれにせよ、諏訪湖の結氷する冬季がいい。

勘助は、晴信にとも信方にともなく言った。

「合戦は冬が宜《よろ》しゅうございますな」

驚くほど声が大きかった。

晴信が諏訪平定の軍を起したのは翌天文十四年正月十九日のことである。

信繁が大将として全軍の指揮を取り、板垣信方が第一線、日向昌晴《まさはる》が後詰を承った。兵三千七百。一方諏訪勢は上原城を出て普文寺に陣を敷いた。

この合戦では、武田勢は圧倒的に優勢で、一日の合戦でいっきに普文寺の線を抜き、上原城を屠《ほふ》り、諏訪氏の宿城である諏訪湖岸の高島城まで押しかけた。この合戦で、板垣勢が討取った諏訪衆の首級は三百余を数えた。ここに全く名家諏訪氏は亡《ほろ》んだ。

この合戦に勘助は板垣信方に従って、作戦を指揮した。

高島城へ入城した夜のことである。勘助は体に似合わぬ大身の槍《やり》を携えて、真先きに高島城へ入って行った。城兵は敗走して一人の敵兵も城内には居なかった。櫓《やぐら》に上ってみると、湖岸に焚《た》かれている何十もの篝火《かがりび》が湖水に映って、この世のものとも思われぬ異様な情景であった。昼間の合戦の興奮がまださめず、武士たちの喚声が、冷い夜気を次々に引き裂いていた。

櫓を降り天守の下の広間を抜け、その隣りの控えの間へ足を踏み入れた時、勘助はぎょっとして立ち止まった。部屋の片隅《かたすみ》に、一人の卑《いや》しからぬ服装の若い女が、二人の侍女に従われて端坐していた。侍女の一人は若く、一人は年老いていた。

勘助が近づいて行こうとすると、若い侍女が、

「近寄ってはなりませぬ」

と言った。勘助は妙に気圧《けお》されて、近づいて行くことは出来なかった。すると、若い侍女はまた叫んだ。

「退《さ》がって下さい」

いかにも勘助がそこにいることが眼ざわりのような、そんな言い方だった。

「諏訪殿の御息女か」

勘助は、かさかさに乾いた声で言った。

「そうです。近寄ってはなりませぬ」

「近寄っていけぬとあらば近寄らぬ。して、なんとする?」

「自刃《じじん》するまで、ほかに人を入れないで下さい」

こんどは老女が言った。

勘助は、一年前に一度見たことのある頼重の女《むすめ》に改めて視線を当てていた。この前、上原城で彼を送り出した彼女の瞳《ひとみ》は敵意に燃えていたが、現在の彼女は別人のようにただ静かな顔をしていた。

「自刃するなら、なぜ今までに自刃しなかったのか。時は充分あった筈だ」

勘助が言うと、

「わたしたちがおとめしていたのです。お可哀《かわい》そうで、とても傍で見ていられなかったのです。併し、もう今となっては——」

すると、頼重の女は、ふらふらと立ち上がると、勘助がはっとしたような冷い声で笑った。それから、

「自分で生命を断つのが嫌《いや》で逃げ廻っていたの。だって、自刃するなんて嫌ですもの」

同じような澄んだ冷い声で言った。

「なにを仰言《おつしや》います、姫さま」

二人の侍女が、歩き出した姫を追った。

「いや、いや、自刃なんて嫌！」

姫は言いながら、喪心している者のようにそこらを歩いた。

その時、多勢の武士たちが広間へ乱入して来る騒ぎが聞えて来た。勘助はそれまで呆然《ぼうぜん》と姫の方に見惚《みと》れていたが、いきなり立ち上がると、姫の腕を掴《つか》み、

「なぜ、自刃するのがお嫌です」

と言った。勘助の手を振り解こうとしながら、頼重の女は下から勘助の顔を見上げた。その時は、いつか見たあの敵意のある眼眸《まなざし》だった。

「みんな死んで行く。せめてわたし一人は生きていたい」

姫は言った。その言葉は勘助が今まで耳にしたことのないきらきらした異様な美しさを持ったものであった。武家の女なら誰も口に出すのを憚《はばか》る言葉だったが、心を直接打って来る何かがあった。

「わたしまでが死んでどうなるの。わたしは生きて、このお城や諏訪の湖がどうなって行くか、自分の眼で見たい。死ぬのは厭《いや》。どんなに辛《つら》くても生きているの。自分で死ぬなんて厭！」

憑《つ》かれているように、言葉が姫の口から飛び出した。

「お放し」

姫は叫ぶと、勘助の腕の中で身をもがいた。勘助は姫を放した。姫は倒れた。玉の鎖がばらばらになって飛び散ったような、そんな感じだった。美しい少女は気を喪《うしな》っていた。

「お連れ申せ！」

勘助は二人の侍女に命令的に言った。二人の侍女も自刃する気持は失ってしまったらしく、言われるままに、姫を両側から抱きかかえた。

勘助は先きに立って歩き出した。広間には阿修羅《あしゅら》のような形相《ぎょうそう》をした武士たちが充満し、何ものかを物色してうろつき廻っていた。勘助は武士たちの流れに逆らって、三人の女たちを連れて歩いて行った。自分の連れている女たちにちょっとでも手でも触れようものなら、絶対に許さないと言った気魄《きはく》が、小さい体に大きい槍を持ったびっこの勘助の妖怪《ようかい》じみた姿態から噴き出していた。狂人のような武士たちも、勘助を避けて通って行った。

頼重の女由布《ゆぶ》姫は一度古府まで引立てられたが、直ぐ諏訪に戻《もど》され、ひとまず諏訪神社に預けられた。

諏訪の合戦が終って一カ月程してからのことである。勘助は板垣信方に招かれて、信方の屋敷に行った。話は思いがけない相談だった。

「殿が由布姫を側室に迎えたいと言い出している。なんとかとめて貰《もら》いたい」

と信方は言った。信方がそう言うのも無理はなかった。由布姫はこちらで手にかけた頼重の女であった。重臣、老臣たちは一人残らず反対しているが、晴信はなかなか諾《き》き入れない。平素信用している勘助から説かせたら、晴信も納得するのではないかという重臣たちの間の意見で、勘助は呼び出されたものらしかった。

「殿がそれほど熱心なら、側室として由布姫を迎えても構わないではありませんか」

即座に勘助は言った。妙に二人を結びつけたいものを、勘助は感じた。みんな死んで行く、自分だけは生きたいと言った由布姫の言葉を、勘助は思い出していた。

若《も》し由布姫と晴信の間に男子ができたら、諏訪家の血は続くわけである。諏訪の血を受けついだ者が武田の家督を相続することになれば、諏訪の土地の人たちも、武田に対する怨恨《えんこん》を忘れ、武田に帰順するようになるのではあるまいか。あるいは晴信も、そんなことを考えているかも知れぬ。

勘助は、その自分の考えを信方に語った。

「子供が出来ぬ場合は、頼重を斬《き》り、その国を攻め取り、その女を側室としたということになり、他国への聞えも悪いし、諏訪衆の恨みも永遠に解けまい」

信方は言った。

「併し、このままにしておいても、諏訪衆の恨みは解けませぬ。由布姫を迎えれば、一つだけ明るい期待が持てます」

「せいぜい男児出生を祈願するか」

こう言った時は、信方もどうやら由布姫を迎える気になっているようだった。

「ただ由布姫が承知するか、どうかだ」

「多少の縁があって、姫の生命を救いましたので、勘助が使者に立ってみましょう」

勘助は言った。

勘助はそれから一カ月程して諏訪に出掛けた。当時由布姫は居を変えて湖南の観音院にいるということだったので、勘助は、高島城から湖畔に沿って南へ馬を走らせて行った。

観音院のある丘の上からは湖を挟《はさ》んで対岸に高島城が小さく見えた。湖の氷は解け、春が来ようとしていた。

勘助は三度《みたび》由布姫に会った。

「お迎えに上がりました」

勘助は言うと、由布姫は静かな表情で、素直に黙って頷《うなず》いた。

翌日、高島城に入城している信方の部隊から三梃《ちょう》の輿《こし》が送られて来た。由布姫と二人の侍女がそれに乗り、勘助のほか十数騎が、輿を護衛して古府へ向った。

輿の通って行く部落部落は桃の花が盛りだった。

「疲れるから休んで下さい」

輿は一刻《いっとき》行くか行かないに、由布姫の要請で休息した。丘陵の上に出ると休み、丘陵を降ると休んだ。由布姫はひどくわが儘《まま》だった。

丘陵の背で由布姫が輿を降りた時、彼女は、

「こんどいつ諏訪へ戻れますか」

と勘助に訊いた。

「稚児《わこ》さまがお生れになったら、また勘助がお供して参りましょう」

と勘助は言った。それを聞くと、由布姫は顔色を変え、輿へはいると、それからは

一度も輿の垂れを上げなかった。輿はそれから休息なしに小丘陵が島のように置かれてある平原をつっきって行った。

勘助は、晴信と由布姫の間に子供が生れることを気の遠くなるような思いで考えていた。生れてから一度も誰にも愛されたこともなく、誰をも愛したことのない勘助は、自分が心から仕えることのできる一組の男女を持った気持だった。

これはこれでよし！　勘助は、由布姫に関する考えを振り棄《す》てると、諏訪を足場として、信濃一円を攻略することを晴信に勧めようと考えた。

四　章

古府《こふ》に移された由布姫は、侍屋敷の一隅《いちぐう》にある板垣信方の屋敷に預けられた。

山本勘助は、由布姫に晴信の側室になることを承諾させる役を引き受けていたが、由布姫は承諾しそうもなかった。由布姫が古府へ来てから一カ月程して、勘助は幾度目かに、板垣信方の屋敷の離れに彼女を訪ねた。

由布姫は縁側に坐《すわ》って、木立の多い中庭に顔を向けて、ぼんやりしていた。由布姫

は、勘助の顔を見ると、肩のところで切り揃《そろ》えてある下げ髪を、少し背後に撫《な》で上げるようにして、

「この前のお話でしたら、もう御返事することはありませぬ」

と、先きを越して言った。

「お嫌《いや》とあらば無理におすすめ致しませぬ」

勘助は庭に跪《ひざまず》いたままで答えた。

「御屋形様は、父を討ちました。いわば私の仇敵《きゅうてき》です。貴方《あなた》の言うように、なる程この時代は斬《き》るか、斬られるかの世の中、御屋形様が父を討たなかったなら、反対に父が御屋形様を討ったことでありましょう。それは、父の武運が拙《つたな》かったためで、さして根には持ちません。でもその仇敵の側室に上がることだけは嫌です」

十五歳の少女の言うこととしては確《しっか》り過ぎるほど確りしていた。

「併《しか》し、自刃《じじん》もなさらず、生き延びられました以上は——」

「そうした辱《はずか》しめを受けるのも是非ないと言うのですか」

由布姫の澄んだ眼には怒りがこめられてあった。

「自刃もせず生きた以上は、自分の生きたいと思う生き方をしたいのです。父の仇敵の側室になるくらいなら、あの時死んでいます」

「なるほど」

勘助は怜悧《れいり》な少女と言葉を交わしているのが快かった。

「存分に生きたい生き方をなさったら宜《よろ》しゅうございます。心はお広く持たねばなりませぬ。早く稚児《わこ》様をお産みになることでございます。姫様お一人では、失礼ながら女性の御身の上、生きたい生き方とて知れたことでございます。稚児様をお産みになれば、その稚児様のお体には、武田の血も諏訪家の血も入っております。姫様の稚児様であります以上御聡明《そうめい》であることは明白でございます。そして、その稚児様にどんな魂を吹き込もうと、それは姫様の御一存でございます。ようく、このことをお考え下さいますよう」

勘助はこう言って、由布姫の顔を見上げた。由布姫は、その時、急に何かに憑《つ》かれたように、ぼんやりした表情で空間の一点を見詰めていた。

「二、三日して、もう一度お訪ねいたします」

その日は、それだけで、勘助は由布姫の前から退《さ》がった。

その翌日。山本勘助は城内で晴信に由布姫のことを訊《たず》ねられた。

「その後、姫のことはどうなっている？」

「大変お悦《よろこ》びでございます」

勘助はそう答えた。そして、直ぐそのあとに、

「併し、御料人様の手前もございます。暫《しばら》く勘助にお任せ下さいますよう」

と言った。晴信は正妻として、由布姫よりも約一廻り年長の今年二十六になる三条氏を持っていた。そして、三条氏との間に、九歳の義信《よしのぶ》、六歳の竜宝の二人の男児を挙げている。正妻三条氏のことを持ち出されると、晴信も由布姫のことを、そうおおっぴらに強要できぬ立場にあった。

山本勘助は、正妻三条氏も好きではなかったし、その二人の男児も嫌いだった。嫡《ちゃく》子《し》義信は、子供のくせに暗いものを腺病質《せんびょうしつ》の蒼《あお》い顔に浮かべていて、見るからに小さい器であった。到底父晴信の後を継げる人物ではなかった。義信は、居館の廊下で、勘助に会うと、直ぐその歩き方を真似《まね》して、どこまでも彼のあとに随《つ》いて来た。そんなところが、こまっしゃくれて、小憎らしかった。

弟の竜宝は、性質はよさそうであったが、生れながらの盲目であった。

勘助は、晴信と由布姫が一緒になることは武田家のためにも必要なことだと思った。あの怜悧な由布姫の産む子供なら、武田の家督を相続できる器量を持つに違いない。問題は由布姫を説得することであったが、勘助は勘助なりに成算を持っていた。

勘助は、二、三日して、再び由布姫を訪ねた。

「お考えは決りましたでしょうか」

勘助が訊ねると、いきなり由布姫は、

「貴方は、武田家の味方ですか、諏訪家の味方ですか」

と訊ねた。単刀直入な質問であった。

「一体、どちらのことを考えています？」

微《かす》かに、由布姫の顔には軽蔑《けいべつ》の色が浮かんでいた。そして、

「今日は気分が勝《すぐ》れませんから、退《さ》がって戴《いただ》きましょう」

冷く言うと、彼女は部屋の奥へはいってしまった。勘助は、由布姫を説得することは難しいと思った。それもその筈である。僅《わず》か十五歳の少女に、五十を越えた自分の夢を理解させることは至難なことであった。

勘助が由布姫の前を辞して、板垣信方の家の門を出ようとすると、正室三条氏が、数人の女中を随《したが》えて、板垣邸へ入って来るのを見た。

勘助ははっとした。三条氏が何のためにここへやって来たか、その目的は訊かないでも判っていた。勘助は、門の横に立ち止まると、頭を下げて、三条氏を迎えた。

「勘助、いいところで会いました。そなたが諏訪家の血を引く女子を連れて来て、ここにかくまっているということを聞きましたが、それは本当か」

三条氏は近寄って来て訊ねた。

「は」勘助はあいまいに答えた。

「人質なら人質らしく取扱うのが至当。変なでしゃ張った真似は許しませぬ」

三条氏の顔には既に嫉妬《しっと》の色が滲《にじ》み出ていた。勘助は、

「諏訪からの人質なら、わたくし、確かにお預かりしております」

「会わせてくれませぬか」

勘助は会わせてはまずいと思った。

「庭先きも汚れて居《お》ります故《ゆえ》、暫くお待ち下さいませ」

勘助は一礼すると、由布姫の居る離れに取って返した。

「暫くの間、身をお匿《かく》し戴きたい」

勘助が言うと、

「なぜ、わたくしが身を匿さなければなりませぬ」

由布姫は静かに訊いた。

「御料人様がお越しでございます」

勘助が言うと、

「お会いしましょう」

と由布姫は言った。

「お会いにならぬ方がよろしゅうございます」

「どうして？　お会いになりにくいのは先様ではありませぬか。父を討たれたのはわたくしの方です」

由布姫は梃子《てこ》でも動きそうになかった。家は亡《ほろ》びたが、名跡諏訪家の血が彼女の顔を、急に生き生きとさせた。眼は澄みきり、頰《ほお》の線は冷いまでにきびしく張った。

この時、勘助は美しい少女の顔を暫く呆然《ぼうぜん》と見守っていたが、この勝気な少女の一切の行動を支配するものは、対立感情ではないかと思った。

「よろしゅうございます。では、御料人様をここへお連れ致しましょう」

と、彼は眉《まゆ》一つ動かさず言った。

勘助は一度立って行ったが、間もなく三条氏と女中たちを伴って来た。三条氏は縁近く寄って来ると、

「諏訪の御息女と言うのはこの人？」

そう言って、俯向《うつむ》いて軽く頭を下げている由布姫の顔を長い間見降していたが、

「父を討った人の囲い者になりたくて、はるばるやって来るとは、国は亡びたくないもの」

そう冷く言い棄《す》てると、つと背を見せて、三条氏はそのままそこから歩み去って行った。

由布姫は三条氏の一行が立ち去ったあとも、姿勢を崩さないで坐っていたが、やがて顔を上げると、

「全く、国は亡びたくないもの」

そうゆっくり言ってから、

「そなたの言うように、武田の家へ諏訪の血を入れてみましょう。どういうことになるか、わたしには判らないけれど、こうなるために、生きのびたのかも知れません」

由布姫の美しい顔を、突然、涙がとめどなく流れ落ちた。それを勘助の焦点のない眼は黙って見詰めていた。


晴信は諏訪氏を亡ぼすや、そこを拠点として、四隣を蚕食《さんしょく》し始めたが、天文十五年三月には、信州戸石《といし》城を攻略せんとして、村上義清《むらかみよしきよ》軍と対陣することになった。村上義清は北信の豪族で葛尾《かつらお》城に拠《よ》っており、戸石城はその属城である。

晴信が古府の城下を進発したのは三月八日辰《たつ》の刻（午前八時）である。桜は既に散り、春の陽射《ひざ》しは漸《ようや》く初夏のそれに変ろうとしていた。

武田氏では昔から家の興亡を賭《か》ける大合戦の時は、家累代《るいだい》の家宝である諏方法性《すわほっしょう》と、孫子二流の旗を携行することになっていたが、こんどの出陣には、その二流を朝風に靡《なび》かせながら古府の城下を西へ向って進んだ。一つは赤の絹地に金粉で「南無諏方南宮法性上下大明神」と一行に書かれてあり、一つには、紺の絹地に同じく金粉で「疾如風徐如林侵掠如火不動如山」と一尺余りの字で二行に書かれてある。いずれも一丈二尺余の大旌旗《せいき》である。この二つを真中にして、何百の差物が武士たちの背にはためき、その旌旗の集団は、昼夜兼行で諏訪湖畔に出て、そこから北上し、二日後には小室に到着した。

晴信は戸石城攻略に先き立って、四隣の反対勢力の侵入を防ぐために、軍を分けて、伊那《いな》勢に対しては諏訪に、木曾《きそ》勢に対しては塩尻口《しおじりぐち》に、関東勢に対しては笛吹峠に、それぞれ諸将を配置した。そして晴信自らは残りの四千余名の軍勢を率いて戸石城に向ったのである。

戸石城は小さい山城で、これを屠《ほふ》ることは易いが、厄介《やっかい》なのは、戸石城を救援せんとしてやって来る村上義清の後詰である。僅《わず》か四千の軍勢を、戸石城攻略軍と敵の後詰を押える軍と、二つに分けなければならない。

城の攻撃に取りかかる寸前に、果して、斥候《せっこう》は村上義清軍七千六百の来援を告げた。

甘利、小山田、横田の諸隊は城の北方で村上軍を迎えて、直ちに戦端を開き、晴信は本隊を指揮して、城の西方から城攻めに取りかかった。

山本勘助は晴信の本隊で、足軽二十五人を預かって、旗本を堅めていたが、戦端開始間もなく、合戦《かっせん》の不利を感じた。もともと無理を押した合戦の上に、少ない軍勢は二つに分けられ、その上陣形も余り香んばしくない。

勘助は、一番親しい板垣信方が居たら、彼を通して、一先ず陣を解いて後退することを晴信に勧めたかったが、信方は諏訪を固めて、この合戦には参加していなかった。若し晴信から直接意見を訊かれたら勿論後退を進言するつもりだったが、そうでない限りは、その事態を押し進めるより仕方がなかった。この合戦を強行したのは、晴信自身であったからである。

合戦は、辰の刻（午前八時）に始まったが、半刻も経《た》たないうちに彼我《ひが》入り乱れて見分けのつかない状態になった。

甘利、横田、小山田の諸隊は初めから倍する敵に押されて受太刀だった。

村上勢の中で、一際《ひときわ》目立って戦場を駈《か》け回っているのは、大剛の荒武者として、その名が甲斐まで聞えていた小島五郎左衛門だった。馬格の並み外れて大きい馬に跨《また》がって、大身の槍《やり》を縦横に揮《ふる》っている彼の姿は敵ながら天晴《あっぱ》れな武者振りだった。その小島めがけて味方の軍から若武者一騎が乗りつけて行った。横田備中守《びっちゅうのかみ》の養子彦《ひこ》十郎《じゅうろう》という二十三歳の青年武士だった。小島に比べると、ひどく繊弱だった。

槍を二つ三つ合わせたと思うと、二人は組んで馬から落ちた。そして間もなく地面から立ち上がって来たのは彦十郎だった。誰もその結果は信じられぬような不思議な格闘であった。

彦十郎の功名は直ちに晴信の本陣に伝えられた。

「小島五郎左衛門を討ったか」

晴信には、そのことが幸先きよく感じられている風であった。

「小島一人討ったとて、それが何になりましょう」

そう勘助は言った。勘助には個々の格闘というものが、莫迦《ばか》らしく感じられていた。音に聞えた大剛の勇士でもあっけなく討死するではないか。個々の武力などはすべて信用できぬ気持だった。合戦の最も重大な部分は全く違うところで行われていると思った。

勘助の言葉は晴信には不快に響いたらしかった。

「小島一人討ったことは、他の数百人を討ったことに匹敵する」

晴信は言った。その時、勘助は、

「危うございます」

と、周囲の者がちょっと理解出来ぬような言葉を、唐突に口から出した。

「何が危い？」

晴信が聞き咎《とが》めた。

「甘利様も、横田様も危うございます」

「ここからでは陣形が見えぬではないか」

「勘助にはよく見えて居ります」

こういうことを言う時の勘助の表情は、平生の醜悪さが顔から消えて、神がかったように鋭く見えた。

甘利備前守、横田備中守の死が報ぜられて来たのは、それから一刻ほどしてからだった。

それと殆《ほとん》ど同時に、将を失った甘利隊、横田隊がどっと崩れ立って来て、陣形は忽《たちま》ちのうちに混乱してしまった。戸石城の攻撃軍もその余波で浮き足たって来た。

晴信は旗本を繰出し、陣形の立て直しを策したが、殆ど無力だった。敗色は漸く濃くなろうとしていた。

晴信は一線の小山田隊と後陣の諸角《もろずみ》隊に連絡を取り、全軍一丸となって、村上隊に当ることを策した。そして、晴信は自ら先頭に立とうとした。

「御大将自ら先頭に立たれますことは如何《いかが》でしょう？」

勘助は傍《かたわら》から言った。

「こうなっては致し方ないではないか」

「御討死の覚悟でございますか？」

それには晴信は返事をしなかった。勘助には、晴信がひどく若く見えた。

「身を全うして、最後の勝利を得ますことが肝要でございます。多くの士卒が亡びたのをお怒りのようでございますが、怒る時は率爾《そつじ》のいくさを致すものでございます」

晴信は、馬上から小さい山本勘助の姿を見降ろしていた。莫迦か利口か判らぬが、糞《くそ》落着きに落着いている風采《ふうさい》の上がらぬ異相人に、晴信は近臣の誰よりも頼もしいものを感じた。

「対策はあるか？」

「ございます」

「なんとか、この場を切り抜けられるか？」

「合戦を勝利へ運ぶ手段がただ一つあります。諸角隊の五十騎を、勘助にお預け戴《いただ》きとうございます」

勘助は言った。そして、その許しを得ると、五十騎を引き連れ、迂回《うかい》して、まっしぐらに一里程駈けて、村上勢の背後に出た。

「みんなここで生命を棄てる覚悟で、駈け抜けて貰いたい。ただ駈け抜ければいい。一兵も討つ必要はない。勘助が先頭を承る」

勘助は命じた。そして五十騎は一団となって、村上勢を背後から二つに割って、駈け抜けて行った。

わき目も振らず、五十騎の集団は、ただ駈けに駈けて行く。

勘助は敵陣を混乱すればいいと思った。敵陣を混乱しさえすれば、あとは晴信の若さと棄身《すてみ》が、崩れかかった味方の陣形を立て直すだろうと思ったのだ。

勘助は真先きに立って、馬の背で体を二つに折り、刀を左右に振りながらつっ走っていた。彼が今企図していることは敵陣の攪乱《かくらん》であった。敵陣のどんな小さい乱れでも、晴信は見逃さない筈である。そしてその隙《すき》に乗じて頽勢《たいせい》を挽回《ばんかい》するに違いない。

勘助は途中で背後を振り返った。黒い流れのように、五十騎が一塊りになって、あとに続いている。

勘助は、突然行手に喚声を聞いた。気が付くと、いま彼が身を置いている敵の陣営は、蜂《はち》の巣をつついたように混乱していた。そして、はるか前方の丘陵の上を、武田本営の「風林火山」の旌旗が大きく揺れながら移動していた。午前か午後か判らないが、旗は斜めの陽を受けて、文字の金泥《きんでい》が時々きらきらと光っている。

喊声《かんせい》は武田方のものだった。勘助は敵陣を駈け抜けると、また引き返して駈け始めた。敵を一兵も討つ必要はなかった。自分の行手をはばむ者だけをなぎ払えばよかった。喊声と法螺《ほら》と太鼓の音が四方から轟《とどろ》き起り、銃声がそれを縫うようにして響いていた。

勘助は馬から大きく地上に投げ出された。松の根方だった。額から血潮が吹き出し、眼は見えなかった。右手を上げようとすると、右手が動かなかった。いつ蒙《こうむ》ったのか、身に十数創を得ていた。

この勘助の作戦で、武田勢は守勢から攻撃に移った。崩れ立った村上勢を、武田の騎馬隊は逆にひた押しに押し、ついにこれを敗走せしめるに到《いた》った。この合戦で武田勢は七百二十一人の士卒を失った。それに対して敵の首級は百九十三で、出血は武田方が大きかった。併し、勝鬨《かちどき》は武田の陣営から起った。

山本勘助は戸石の合戦の功によって、八百貫の扶禄《ふろく》を与えられ、足軽七十五人を預かる身分となった。

戸石の合戦から一カ月半程して、由布姫《ゆぶ》は男児を出産した。

その当時、由布姫は城の裏手の丘陵の中腹に、館《やかた》を構えていた。勘助は由布姫出産の報《しら》せで、直ちに館に伺候《しこう》した。勘助のほかには、まだ誰も姿を見せていなかった。勘助は寝室に通された。由布姫は顔を天井に向けて、静かに横たわっていた。勘助が祝いの言葉を述べる前に、由布姫は、

「貴方《あなた》のお指図通り、武田の血と諏訪の血を持った稚児《わこ》が生れました。どういう運命を持つ稚児か知りませんが、兎《と》に角《かく》、いまここにすやすやと眠っております」

それから、由布姫は低い声で短く笑った。

勘助は顔を上げた。由布姫の笑い声が、本当に笑い声であったか、あるいは泣き声であるか、ちょっと判断がつかなかったからである。笑いを停《と》めた由布姫の顔も亦《また》、笑っているとも、泣いているとも、勘助には判らなかった。

「これで諏訪の領主様がお生れになりました。まことに嬉《うれ》しいことでございます。おめでとう存じます」

勘助は祝いを述べた。すると由布姫は、

「貴方でも嬉しいとお思いか。父を騙《だま》し討ちにしたのは、貴方ではありませぬか」

「は」勘助は返事ができなかった。由布姫の言う通りであった。勘助は、この時まで、

由布姫が、彼女の父を斬《き》る計画を立てたのが自分であることを、よもや彼女は知っていないだろうと思っていた。勘助は全く由布姫に不意を衝《つ》かれた恰好《かっこう》であった。

「でも、そのことは、いまちょっと言ってみたまでのこと、なんの恨みにも思っておりませぬ。気にかけぬでも宜《よろ》しい。それより、この稚児を頼みます」

そう言って、由布姫は、顔を勘助の方へ向けた。

「は」

「お判りですか？」

「は？」

勘助はこの時体が細かく揺れて来るのを感じた。揺れ始めた体の震えは停まらなかった。がくがくと膝《ひざ》が動き、膝の上に置いてある両の拳《こぶし》が動いた。

「行く行くは稚児を武田家の世継ぎにしたいと思います」

なんの怯《おび》えるところもなく、由布姫は言った。

勘助の方が、むしろはっとして辺りを見廻した。

「わたしは自分の体を、貴方の言うままにしました。生きろと言うので生きました。甲斐へ来るようにと言うので、甲斐へ参りました。お側《そば》へ上がれと言うので、お側へ上がりました。稚児を生めと言うので、稚児を生みました」

それから暫く口を噤《つぐ》んでから、

「稚児を頼みます」

と、また由布姫は言った。

勘助は由布姫の館を辞すると、丘陵の斜面を降って城の東側に出た。田圃《たんぼ》を隔てた対《むか》い山の斜面のつつじが満開だった。遠くから見ると、全山燃えているような美しさだった。生ぬるい風が西から東へ吹き、珍しく合戦のない月が終ろうとしていた。

その日、勘助は晴信に、稚児誕生の祝いを述べに行った。そして、

「これで諏訪一族の恨みも解けることと思います。この上は一日も早く稚児さまを、伊那、諏訪一円の御領主に任じますことが肝要と存じます」

と言った。勘助は、由布姫の生んだ男児を伊那に置くことは、周囲の猜疑《さいぎ》心《しん》から一人の嬰児《えいじ》を守るためにも必要であったし、それからまた諏訪、伊那一円の人心を安定させるために、武田家にとっても適当な処置であろうと思ったのである。

由布姫の生んだ男児は四郎と命名された。正室三条氏に、義信、竜宝の二人の男児があり、三男であるから当然三郎と名付けられるべき筈であったが、四郎と名付けられたのである。

板垣信方が、諏訪から出て来て、この不審を晴信に匡《ただ》すと、晴信は可笑《おか》しそうに

笑って答えなかった。そして、大分経ってから、

「勘助に訊《き》いてみるがいい」

と言った。

信方は自分の古府に於《お》ける館に勘助を招くと、

「なぜこんどの稚児を四郎と名付けるように、上様にお勧めしたのか」

と訊《たず》ねた。

「御三男を近く儲けることが必要かと存じます」

「三男を？」

「はい。いずれは、武田家では御養子を迎える必要に迫られるかと存じます」

「養子？　どこからだ？」

「わたくしにも判《わか》りません。北条か、上杉《うえすぎ》か、いずれにせよ、そこら辺りではないかと存じます。御養子を迎える場合、御年齢は兎も角としまして、妾腹《しょうふく》の稚児さまの上に置くことで、先方の気持は大分違うと存じます。どうせ御養子を迎えられるなら、そのくらいの御措置が必要かと思います」

勘助は全く、政略的な養子を考えているのであった。

「北条かな？」

「さあ」

「上杉かな？」

「さあ」

「武田三郎はどこから来るかな？」

「その両家なら、そのいずれからでも宜しゅうございましょう」

勘助は正坐したままで言った。こんどは板垣信方が、がくがくと体を震わした。

山本勘助が、久しぶりで、駿河の今川氏の城下へ、庵原安房守《いおはらあわのかみ》に会いに行ったのは、それから更に一カ月程した暑い盛りであった。表向きには、暫く休暇を賜《たま》わり、往年の恩義を謝するための駿河行きということになっていたが、併《しか》し、勘助はそれとは別に一つの目的を持っていた。

五　章

山本勘助が三年振りで駿府の城下にはいったのは、天文十五年五月の末である。

勘助は駿府へはいると直ちに庵原忠胤《ただたね》を欅《けやき》屋敷に訪ねた。忠胤の勘助を遇する態度は、以前より少し鄭重《ていちょう》になっていた。

「甲斐《かい》に於《お》ける働きは、いろいろにこの地方までも聞えている。いい主《しゅう》を持って果報なことじゃ」

と、忠胤は言った。そして、

「晴信の器はどうかな」

探るように、彼は勘助に訊《き》いた。自分のところの家臣を甲斐へ派遣しているような気持を、忠胤はまだ持っていた。勘助は三年前とは全く異っていた。武田へ仕官する時、この今川家からも扶持《ふち》を貰《もら》おうとしたそんな自分が信じられない気持だった。

「晴信公は政道賢き名大将である。名将は必ず人の取りなし、男振りにも構わず、武士道の智略《ちりゃく》武略の侍を第一に馳走《ちそう》なされる。拙者は僅《わず》か三年余の間に、八百貫の知行《ちぎょう》を拝領するようになっている。この一事でも判《わか》りましょう」

勘助は言った。

勘助は嘗《かつ》て九年間も滞留していたのに、ついに自分を召し抱えなかった今川家に好意を持っていよう筈《はず》はなかった。いつか何年か先きには、武田の力で、この今川家を征服することになるだろう。併し、それまでは、武田は今川と結ばねばならぬ。

「こんどの用向きは他《ほか》ではない。いま晴信公は、義信・竜宝の二人の男子を得ておられる。はっきり申せば義信は武人の器ではなく、竜宝は盲人である。本当の後継ぎとして、養子をほしい」

「それを今川家から得たいというのか」

「何歳でもいい。貰い受けて、第三子として養育したい」

「あいにくだがないな」

庵原忠胤は言った。

「側室の腹にもないか」

「ない」

今川家に、そうした武田家の養子とするに適当な男子のないことは勘助もよく知っていた。併し正妻の子でなく、側室の腹に出来た男子でよかった。忠胤に相談すれば知っていないものでもないと思ったのである。

「その用件で来たのか」

忠胤は言って、笑った。勘助はそれには答えず黙っていた。

勘助は忠胤の邸《やしき》を辞すと、曾て九年間起居した安倍川の近くの寺へ、その晩泊った。曾て彼の門を叩いていた今川の若い侍の一人が、彼が来たことを知って偲《しの》ぶように訪ねて来た。彼は部屋へはいって来たが、勘助が一人黙然として、部屋に端坐しているのを見て、ぎょっとして立ちすくんだ。

「先生、何をお考えになっておられます」

いきなり彼は言った。

「ここ十年程、北条と今川と武田は手を組まなければならぬ、どうすればいいと思うか」

勘助はいきなり言った。

「さあ」

侍は返答に困っていたが、

「どうして十年間とおっしゃるのです」

と訊いた。すると、勘助は、

「判らぬか、武田は上杉と闘わねばならぬ。今川は西上を急ぐだろう。北条は北条で、関東で、合戦《かっせん》が続く」

「十年先きは」

「その時はお互いが闘わねばならぬだろう。さて十年間平和を保つにはどうすればいいと思うか？」

「判りませぬ」

合わせることだ」

「簡単だ。武田、今川、北条三家とも、男子と女子を持っている。それを交互に組み

「そんなことができますか」

「武田家の義信《よしのぶ》、今川の氏真《うじざね》、北条の氏政《うじまさ》、いずれも九歳か十歳になる。義信には今川の娘御を、氏政には武田の娘御を、氏真には北条の娘御を——」

にこりともしないでこう言ったが、勘助はふと武田家にあけてある三男の養子は、北条から迎えねばならぬと思った。武田家から女《むすめ》を北条にやるなら、北条からは質として男子を取らなければならぬ。

「もう数年経《た》たずして、そういうことになるだろう」

勘助は言った。併し、早ければ早い方がいい。そうして、今川、北条と結び、その間に、武田は先ず上杉をやっつけねばならぬ。そして今川と北条をやっつけるのは、その後である。由布姫の子四郎勝頼《かつより》がそれをやるだろう。

若い侍はほんの暫《しば》くいて、勘助の宿舎を辞した。とりつくしまのない程、勘助が自分一人の思念の中に坐《すわ》っていたからである。若い侍の眼にも、勘助は、三年前の勘助とは全くの別人に見えた。五十四歳の彼は、一層無口になり、一層人を寄せつけぬ人物になっていた。

勘助は併し、いま自由であった。いつ合戦で討死してもよかった。死に対する怖《おそ》れなど、みじんも心の中に巣くっていなかった。晴信という大将を愛していた。そしてその側室の由布姫を愛していた。そして、それ以上にその間に出来た、生れた許《ばか》りの四郎勝頼を愛していた。甲斐と信濃の山野に、大きく夢は駈《か》け廻《めぐ》っている。誰も知らぬ。異相人山本勘助だけが持つ夢が！

彼はその夜、その夢を託するものとして勝頼の小さい体を胸に抱いて眠った。

三月初め戸石合戦で村上義清の軍を破って以来古府の城下には珍しく平穏な日が続いた。春から夏、夏から秋へと、合戦騒ぎのない静かな明け暮れが、古府の城下にも、またそれを中心とする甲斐の山峡《さんきょう》の村々にも訪れた。

併し、合戦のないかわりに、天災が多かった。七月五日の暁方《あけがた》から降り出した豪雨は三日三晩降りやまず、甲斐の国一帯に亘《わた》って大出水があり、ために田地作物は押し流され、古府でも晴信の居館の裏手の丘陵に幅三十数間に亘る大山崩れがあった。

続いて、十五日の夜には大風が吹き、各地の稲作は大被害を蒙《こうむ》り、翌朝田圃《たんぼ》に出て呆然《ぼうぜん》としている百姓たちの姿が到《いた》る処《ところ》に見られた。

この二つの天災の影響は秋頃から徐々に現れ、餓死者も未曾有《みぞう》の多きに達して、物の売買の値段は怖ろしいほど高くなった。合戦はなかったが、甲斐の山野は暗かった。

九月の重陽《ちょうよう》の節句の日、武田の諸将は、古府の居館に集まった。広間の床には菊の花が挿《さ》され、左右に居並んだ武将たちには、酒と栗飯《くりめし》とが振舞われた。正月と同じように武田氏の一族重臣たちが一堂に会したが、こんどは戸石の合戦で討死した甘利備前守と横田備中守の二人の重臣が欠けていた。重臣としては飯富《おぶ》兵部少輔《ひょうぶしょうゆう》、小山田備中守、板垣信方の三人がいるだけで、やはり一抹《いちまつ》の淋《さび》しさを免《まぬか》れ得なかった。

飯富、小山田の二将は、三月の戸石合戦以来村上勢の押えとして北信に駐屯《ちゅうとん》していたが、この日わざわざ古府へやって来、板垣信方も、任地諏訪から参じたのであった。その他武田一族の者としては左馬助信繁《さまのすけのぶしげ》、孫六信連《まごろくのぶつら》、右衛門太夫信竜、穴山伊豆守信良等諸将の顔が見えた。新顔としては、新たに中堅武将として登用された馬場美濃守《みののかみ》、山県三郎兵衛《やまがたさぶろべえ》、内藤修理《ないとうしゅり》、秋山伯耆守《ほうきのかみ》等の若い武将が控えている。いずれも長く断絶していた武田累代《るいだい》の名家を継いだ若い武将たちであった。

この席では、当面の敵である村上義清の動静が、飯富、小山田両将に依《よ》って仔細《しさい》に報告された。

村上義清は戸石合戦で破れてから鳴りをひそめているが、そのまま引き退《さが》っているような相手ではない。やがて近い将来に兵を動かすことは必定《ひつじょう》である。その時期は来春、信濃の雪が解ける頃であろう。飯富、小山田二将とも、この点で意見を同じくしていた。

「来年の春までは合戦があろうとは思われませぬ。それまでに、こちらも準備を固め、こんどこそは一戦で義清の首級を挙げ、将来の禍根を絶たなければなりませぬ」

そう飯富兵部は言った。誰もこの見方に誤りがあろうとは思われなかった。そして来年の春までの半年間に、いかに兵を訓練するかが議せられた。

勘助は、晴信に対《むか》って右手の列の中程に控えていたが、突然、「申し上げます」と言って体を折ると、

「合戦は年内に、と申すより、明日にもあるのではないかと思います」

と言った。一座の武将たちの視線が射るように勘助の小さい体に集まった。

「村上軍の動静については、誰より、飯富殿と拙者が承知していると思うが」

と、小山田備中守が咎《とが》めるように言った。

「村上軍ではございませぬ」

「村上以外に事を構える程の強敵は四隣には見当らぬが」

「勘助にも、しかとその相手の正体は判りませぬ。ただ武田を襲うのは、今日ただ今が絶好の時期であると考える輩《やから》があろうかと存じます。今年の春、戸石合戦で村上軍

を破ったとは言え、甘利様、横田様お二人は討死されて居りますし、手負、死人が三千に及んでいることは遠国まで聞えていることと存じます。それから飯富様、小山田様の御武名高きことは申すまでもありませぬが、お二人とも村上軍の押えとして北信の地から動けず、しかもその他には失礼な言い方ですが、小身の方許りで、勢の百騎と従えております方はございませぬ。それに加えてこの天災、今若《も》し、大軍を動かして甲斐を衝けば――」

そう言って勘助は顔をあげると、晴信の方を見た。勘助は晴信に対って言っているつもりであった。晴信以外の誰にも、聞かせているつもりではなかった。

「ひと堪《たま》りもないと言うか」

晴信は笑いながら言った。

「はい」

「武田は亡《ほろ》びるか」

「そう考える向きもございましょう。衝きたいところでございます」

「衝いて来るとすれば誰か？」

「判りませぬ。この事に思いつく者があるかどうか判りませんが、若しあるとしたら、そして、その者が武田を滅ぼすことを希《のぞ》んで居りますれば」

その時、

「そんな者がいるか！」

そう大喝《だいかつ》した者があった。穴山伊豆守信良だった。

「今川氏にしろ、北条氏にしろ、境界を接してはいるが、今早急に事を構えようとは考えられぬ」

その時晴信は何を思ったのか立ち上がって、

「あるとすれば」

言いかけてふっつりと口を噤《つぐ》んだ。そしてそのまま奥へはいって行った。併し不興な去り方ではなかった。

勘助は、晴信がその若し来攻する者ありとすれば、それが一体誰であるか、その仮想敵国を、この時頭に描こうとしていたに違いないと思った。

晴信が席を外したあとは、急に座が白けてしまった。

戸石の合戦で、勘助が彼の作戦で頽勢《たいせい》を一気に挽回《ばんかい》していたので、誰も勘助に対しては一目も二目も置いていたが、併し今の勘助の態度が一座に快く映ろう筈はなかった。思いあがった不遜《ふそん》な言葉としか誰の耳にも響かなかった。

こんな場合いつもそうするように、板垣信方が勘助を取りなした。

「勘助、酒に酔った上の放言であろうな。よし、面白《おもしろ》い、板垣信方が買って出よう。若し年内に合戦があった時は、信方の部下で、勘助の望みの屈強な者を取らそう、若し汝《そち》が敗《ま》けたら、その時は何をくれるか」

信方は、勘助の言葉を座興にして、さして意味のないものにしてしまおうと思ったのである。ところが、勘助は、即座に、

「勘助、一命を差しあげて宜《よろ》しゅうございます」

と、にこりともしないで答えた。座興どころではなかった。勘助は信方にいったのではない。信方以外の多数の武将たちに聞かせたかったのだ。

「莫迦者《ばかもの》めが、重陽の酒に正気を奪われて！」

信方は苦笑して言った。併し、勘助の耳にはその時干戈《かんか》の響きが聞えていた。法螺《ほら》が吹かれ、太鼓が鳴り、何百の軍馬は次から次へと丘陵を越えていた。

自分が若し武田を滅ぼす意志を持っていたら、この機を絶対に外さないであろうと思う。今を措《お》いて、いつこの機が廻《めぐ》って来るであろうか。自分と同じ考えを持つ者が、この世に居ないであろうか。食うか食われるかの、この戦国の世に！

合戦は近くある。併し、その敵が何者であるかは、勘助にもはっきりとは判っていなかった。今川でも、北条でも、長尾《ながお》景虎《かげとら》でも、そしてまた村上義清でも、何者が来

攻して来たとしても、少しもそれは不思議ではなかった。

武蔵《むさし》、上野《こうずけ》一帯に散らばっている諸城砦《じょうさい》に拠《よ》る上杉憲政《うえすぎのりまさ》麾下《かか》の諸勢力が一体となって、軍勢二万三千、それが笛吹峠からいっきに武田の領内になだれ込もうとしたのは、山本勘助が予言した重陽の節句から一カ月とは経っていない九月の末であった。

信濃の真田《さなだ》弾正《だんじょう》忠《のちゅう》幸隆《ゆきたか》からの上州勢発向の急を告げる早馬は、突然そぼ降る秋雨の中を古府に着いた。最初の一騎は、馬上から降りると、そのまま多勢の武士に抱きかかえられて、城内に引き入れられたが、二番目の馬は、どうしたのか、騎乗している筈の武士を失っていた。馬の背には矢が一本立っていて、馬は狂ったように、居館のある丘陵へと駈け上って行った。誰の眼にも、事の重大さがある不気味さで感じられた。

それから一刻《いっとき》もしないうちに、非常呼集の太鼓の音は、あわただしく城の幾つかの番所番所で打ち鳴らされた。

そして辻々《つじ》には篝火《かがりび》が物々しく焚《た》かれ、早打ちの馬は次々に城下に到着した。相木、芝田、海野《うんの》を初めとする諸城砦から急を告げたものであった。

事は火急で、一刻も棄《す》て置き難《がた》かった。上杉勢の来攻は、晴信にも勘助にも意外であった。上杉氏は関東に於《お》いて多年に亘って北条氏康《ほうじょううじやす》と闘い、ともすれば北条氏のために圧倒されがちな形勢にあった。それが急に鉾先《ほこさき》を変えて、武田攻略に依って、衰運をいっきに盛り返そうという魂胆であるらしかった。

折悪《おりあ》しく、晴信は病名不明の高熱に悩まされて臥床《がしょう》しており、その枕頭《ちんとう》で、直ちに主脳会議が開かれた。

「上杉勢を引き受けて闘う者は誰であるか」

晴信の問いに対して、左馬助信繁、穴山伊豆守信良の二人が、即座にその役を買って出た。それは少しも不自然ではなかった。飯富、小山田、板垣の三重臣がそれぞれ部署を護《まも》って動けないので、この三人以外では、左馬助信繁、穴山信良の二人しか、全軍を指揮できる者はいなかった。

晴信の眼が勘助に向けられた。

「私め考えますのに、板垣信方様を御派遣になっては如何《いかが》でございましょう。そして諏訪の押えとしては、穴山様と左馬助様がお替りになりましては」

「理由があるか？」

「板垣様は、ここ両三年諏訪に居られる関係で、他の方より少しでも信濃の人の心を知っていられるかと存じます。そして、信濃の地理にも明るい部下を持って居られましょう」

それを聞くと晴信は、

「よし、板垣信方を差し向けよう」

鶴《つる》の一声であった。こういう場合の晴信の決断は、聞いていて胸のすくほど素早かった。そして板垣信方が来攻軍を迎え撃つ総大将に任命され、その板垣信方のあとの諏訪郡の番手として穴山信良と左馬助信繁の二人が、足軽大将四人を差し副《そ》えられて出向くことになった。

勘助は、この武田氏の危機に当っては、何より一番合戦上手な板垣信方を派遣すべきだと思ったのである。晴信が指揮を取れば間違いはないが、その晴信が病床に臥《ふ》している今、晴信に替って指揮を取れる人物は、板垣信方を措いてはなかった。穴山にも、左馬助にも一点の不安があった。

勘助は、晴信に願い出て、板垣信方に使する許しを得た。こんどの合戦は当然苦戦を免れなかったし、苦戦になると弱い信方の欠点を、勘助は知っていた。出陣前の彼に会って一言だけ助言したかったのだ。

勘助は、その夜、何騎かの早馬と一緒に古府の城下を出て、諏訪に向った。早馬は乗馬に巧みな若い武士許《ばか》りが選ばれていたが、五十四歳の勘助はそれに加わって、少しも遜色《そんしょく》がなかった。一種異様な乗り方だった。小さい体が騎馬の背にぴょこんと跨《また》がり、それが前に伏して、馬の首を舐《な》めるような姿勢を取った。疾風の如き騎馬の一隊はその翌日には早くも諏訪の城下へはいった。城下へはいって馬から降りた時、勘助は地面に坐《すわ》ったままそこから立ち上がれなかった。

それにしても、早馬の武士たちは、乗馬の法に適《かな》っていないでたらめな勘助の乗り方で、どうしてここまでついて来たか解《げ》せなかった。

「城内に運んで貰《もら》いたい」

地面に坐って、勘助はただ一言言った。戸板に載せられて、城内にはいり、勘助は板垣信方の前へ連れ出された。

信方は既に出陣の武具をつけていた。

「敵軍が笛吹峠を越さないうちに――」

勘助はゆっくりと一言いうと、あとは、

「疲れました」

と笑った。

「それを言いに来たのか」

信方は言った。

「これが言いとうございました」

「武田家へ推挙した恩返しのつもりか」

「は」

「そのくらいのことは自分も存じている」

「と申しましても、勘助が存じて居ります程、御存じではありませぬ、敗《ま》け戦《いくさ》となると粘りがございませぬ」

「莫迦な」

「今までの合戦《かっせん》を拝見していて、いつでもそうでございます」

「莫迦な」

信方は再び言って厭《いや》な顔をした。自分の弱点を知っている一人の化物のような老武士に対して、信方は自分が推薦した関係もあって、誰よりも暖い思いやりの気持を持っていたが、それでも、彼に対して持っているものはいつもがいつも愛情ではなかった。愛情というより小憎らしさの強い場合の方が多かった。

併《しか》し、今の場合、信方は、勘助の率直な言い方と、自信満々たる面魂《つらだましい》に、やはりある信頼感を感じた。

「一緒に出陣してくれるか」

「敵の全軍が峠を越えぬうちに合戦をしかけて下されば、勘助、わざわざお供するには及びませぬ」

「くどいな。よく判っている！　では、当分ゆるゆると城に逗留《とうりゅう》するがいい」

そう信方は少し蒼《あお》ざめた顔で言った。

その夜、信方麾下の軍勢の一部は、先発隊として諏訪を進発した。勘助はその夜のうちに直ちに古府へ引き返した。

そして信方自身は、古府からの本隊と合する為《ため》に、十月四日、軍を率《ひき》いて諏訪を進発した。

晴信の病気はやや快方に向ったので、晴信は総予備軍四千五百を率いて、五日辰《たつ》の刻（午前八時）に古府を進発した。

信方からの報告は、次々に行軍中の晴信の許《もと》に送られて来た。六日の巳《み》の刻（午前十時）小諸《こもろ》の追分《おいわけ》を過ぎたという報告を最後として、消息は切れたが、次に来た報《しら》せは、上杉勢の一陣と笛吹峠に闘い、大捷《たいしょう》を博し、首級一千二百十九級を得、同日午《うま》の刻（正午）に勝鬨《かちどき》を挙げたということであった。

翌日、晴信は新戦場に到着するや、直ちに板垣信方の軍を後陣に退《さが》らせ、自分の率いる新手《あらて》の予備軍を一線に立て、敵の二陣一万六千と笛吹峠に闘った。板垣軍の前日の勝利が全軍の士気に大きい影響を与え、未《ひつじ》の下刻（午後三時）より酉《とり》の刻（午後六時）の終りまでに敵を討つこと四千三百六人、凱歌《がいか》はついに武田軍に挙った。本営ではその夜半、首帳をしたため、勝鬨を執行した。風の強い夜であった。篝火《かがりび》は風に吹き飛ばされ、火の粉はいっせいに一座の下手の方に流れた。

晴信は采配《さいはい》を握って、床几《しょうぎ》に腰を掛けている。飯富兵部少輔が太刀の役、右には板垣信方が団扇《うちわ》の役を承って坐し、左には原美濃守が白膠木《ぬるで》の弓に真鳥羽《まがらすば》の矢を添えたのを持って坐した。

貝の役を承った山本勘助は、大きな法螺貝《ほらがい》を捧《ささ》げ持っていた。勘助の眼には、総帥《そうすい》晴信の眉《まゆ》一つ動かさぬ面《おもて》と胸を張った姿がこの世の何人《なんぴと》より美々しく、雄々しく見えた。

やがて小幡織部正《おばたおりべのしょう》の打鳴らす太鼓が厳《おごそ》かに深夜の新戦場に響き渡ると、

「おう！」

並居る武将の口から勝利を宣する叫びがいっせいに力強くあがった。

武将たちはみな若かった。勘助だけが並外れて年老いていた。勘助は風邪気味の鼻をすすり上げながら、さて、これから自分の愛する若い武将は村上義清をやっつけ、その向うの長尾景虎をやっつけるだろうと思った。併し長尾景虎と対陣するまでは当分このくらいのちっぽけな合戦ばかり続くかな——そんなことを、彼は法螺貝を捧げ持ったまま、考えていた。勘助の顔は、飛んで来る火の粉を浴びて、人々の眼にはその異相の面が仁王《におう》のように見えた。

由布《ゆぶ》姫が甲斐へ来てから初めて諏訪へ行ったのは、その年天文十五年の十一月の末であった。甲斐へ来たのが十四年の桃の季節であったので、いつか二年近い歳月が経過しているのであった。そして、その間に由布姫は、諏訪氏の血と武田氏の血を併せ持っている一子勝頼を挙げていた。

由布姫の諏訪行きは巷間《こうかん》にいろいろと取り沙汰《ざた》された。本妻三条氏の取り計らいであるとか、あるいは依然として武田氏への怨《うら》みの感情を解かないでいる諏訪地方の住民に対する一種の政略的処置であるとか、いろいろ勝手な臆測《おくそく》が行われていた。

併し、事実は何であれ、由布姫はそれについて何も知らなかった。彼女はある日訪ねて来た勘助に、余り寒くなりませぬうちに、一度稚児《わこ》さまに諏訪の湖《うみ》を見せて上げましたら如何《いかが》でございましょう、と言われ、素直にその言葉に従ったまでである。

諏訪氏が亡《ほろ》びてから以後は、諏訪の郡代としてその地方一円を治めているのは板垣信方であった。板垣信方から、由布姫を迎える準備ができたことを報ずる使者を受けてから、日ならずして、由布姫と勝頼の輿《こし》は、古府を出発した。

数百名の供廻りが、由布姫、勝頼、女中たちを載せた八梃《ちょう》の輿を固め、漸《ようや》く冬の気配がたちこめ始めた甲斐の山野を、その長い隊列は信濃に向った。最初から二番目の輿に、由布姫は乗っていた。そして三番目の輿には勝頼が乳母に抱かれて揺られていた。

そしてその二つの輿を護衛して屈強な何人かの武士たちが、輪乗りしていたが、勝頼の輿にぴったりと馬身をつけるようにして行く一騎が目立っていた。山本勘助であった。

この前、信濃から甲斐へ向った時は、由布姫はできるだけのわが儘《まま》を言って、少し行くと行列を停《と》まらせたが、こんどはそんなことはなかった。彼女は輿に揺られたまま一度も自分から輿の垂れを上げなかった。由布姫は二年足らずの間に、すっかり少女の稚《おさな》さを消して、成人した一人の女性に成長していた。天来の美貌《びぼう》はいよいよ輝きを増し、それに気品と落着きが加わっていた。抜ける程白い肌《はだ》、豊かな頰《ほお》、そして黒いつぶらな瞳《ひとみ》、取り分け高く整った鼻梁《びりょう》は今は亡んだ名家諏訪氏代々の当主が持っていたものであった。

行列は、二日目になると、半日近く釜無川《かまなしがわ》の流れに沿って進んだが、一度、韮崎《にらさき》付

近の広い磧《かわら》の一端で休息したことがあった。その時、

「輿をお出になりますか」

勘助は由布姫の輿の前に跪《ひざまず》いて、静かに声をかけた。

「いいえ、こうして休んで居《お》りましょう」

内部から澄んだ声で返事があった。

「お疲れでございますか」

「たいしたことはありませぬ」

「ちょっと垂れをお上げになりましたら、――ここが甲斐の国中でも、一番眺《なが》めの美しいしかも要害の地でございます。稚児さまが将来お城をお造りになる時は、ここを選ぶのがよろしゅうございましょう」

勘助が言うと、それに心を動かされたのか、由布姫は内側からそっと垂れを上げた。垂れを上げる華奢《きやしや》な手首の白さを、勘助は眩《まぶ》しく眺めていた。

「どこに城をつくります」

「あの丘の上でございます」

勘助の指したところは、見晴るかす平原の中に、島のように一つ取り残されている俗に七里岩と呼ばれている丘陵であった。

「釜無川と塩川の二つの流れが、遠くからあの丘を包んで居ります。そして、あの向うはめったに人の入ったことのない薬師、観音、地蔵の険しい山々が迫って居ります。一方は山、三方は平原でございます。あの丘の上に立てば、この広い平原はどこでも手に取るように見渡せます。稚児さま御成人の頃は、鉄砲の合戦になりましょう。足場の悪い狭い場所に城を持つことは要りません。このような場所こそ、無類のお城の場所かと存じます。それでいてあの丘は四方切り立ったように削《そ》がれ、容易に攀《よ》じ登ることはできませぬ」

勘助は実際にそう思っていた。彼は何回もこの平原をつっ切ったが、いつでも思うことは、ここに城を造ることであった。もう十年か二十年も経《た》てば、ここここそ、甲斐一国の中心となり、武田の本営は好むと好まないに拘《かかわ》らず、ここに移動されるであろうと。併し、その城を築くのは恐らく勝頼であろう。勝頼でなくてはならぬ。

由布姫は、広い眺望《ちょうぼう》を暫く黙って眺め渡していたが、やがて、

「山々の雑木が紅葉してきれいですこと！」

と言った。なるほど勘助の指した丘陵は真赤に紅葉した雑木で埋められていた。

「あの紅葉は櫨《はぜ》でしょうか」

「さあ」

勘助は草木についての知識は全く持っていなかった。紅葉している樹木が何であるか、そんなことに関心を持つ女の心が、勘助には奇妙でもあり、不思議でもあった。

「古府には櫨の木がありませんでしたが、諏訪には沢山あります」

やがて、由布姫はそうしんみりと言った。

「櫨の木がお好きですか」

「小さい時から、それを見て育ったので、この季節になると、櫨の木の紅葉を見たくなります」

「これからはずっと御覧になれましょう。毎年、毎年」

そう勘助が言った時である。

「えっ」

という由布姫の短い驚きの声が口から洩《も》れたが、やがて、彼女は垂れをめくると、輿から出て、すっくりと地面に立った。

「勘助、いま何と言いました？　わたしに、これからずっと諏訪に住めというのですか」

きっとした口調であった。

「わたしに、御屋形様と離れて、諏訪に住めと言うのですか。まさか、そのような企《たく》らみではないでしょうね」

顔は無表情であった。併しその無表情の口から出る言葉の調子は、槍《やり》の穂先のような鋭さで、勘助の胸許《むなもと》を深く突き刺して来た。

「は」

と言ったまま、勘助は返事をしなかった。することができなかった。

「勘助！」

「は」

「よもや、わたしの身を諏訪の板垣へ預けるつもりではないでしょうね」

「いいえ、決して」

「では、よろしい」

勘助は片手を地面について、頭を下げたまま暫くその姿勢を崩さなかった。

由布姫の諏訪行は晴信と板垣信方と勘助と三人で取り決めたことであった。由布姫と勝頼の二人を、後見役のような恰好《かっこう》で、板垣信方が預かることになっていたのである。

こうすることに依《よ》って、勝頼を諏訪の人々に馴染《なじ》ませ、諏訪一国の武田氏に対する怨嗟《えんさ》の声を除こうというのが、その主な狙《ねら》いであった。そしてまた勘助は勘助で、これに依って勝頼の身の安全が保証されると思った。諏訪の血が入っているということで、勝頼に対する武田一族の眼の光りの異っていることを、彼はよく知っていた。古府に住む限り、生れた許《ばか》りの勝頼の位置は、頗《すこぶ》る微妙なものであったのである。

由布姫の一行が諏訪の国へ入った時、どこから伝え聞いたのか、諏訪の百姓たちは、甲斐と同じように疲弊した冬枯れの田野の中に、ぴたりと土下座して、輿を迎え輿を送った。

由布姫は、勘助の、

「姫さま、湖が見えます」

と言う声で、輿の垂れを上げた。隊列は停まった。濃い藍色《あいいろ》の湖面は、小さく尖《とが》った波を一面に浮かべて、由布姫の網膜の中へ入って来た。

「美しゅうございますな」

「ほんとに美しいこと！」

由布姫はほんの暫くの間湖面に見入っていたが、

「おお寒！」

と身を震わせると、やがて垂れを下げた。

隊列はそれから休みなしに時折水鳥の飛び立つ湖畔を進み、高島城へと向った。

板垣信方は、由布姫を高島城内には置かないで、前に一度由布姫を置いたことがある小坂部落の観音院を、こんども亦《また》彼女の館《やかた》とすることにした。そこに生い育った高島城の古い思い出が、由布姫の心を傷つけてはいけないという配慮からであった。

小坂観音院は高島城から小一里の道のりであった。観音院の庫裡《くり》は見違えるように美しく改装され、半農半漁の淋《さび》しい小坂部落には警固の武士たちの番所や居宅が数多く建てられた。

由布姫は、高島城に三泊して、直《す》ぐ小坂へ移されることになった。

その日の暁方《あけがた》、諏訪地方には初雪があった。湖面を隔てて遠くに見える八ヶ嶽《たけ》は真白で、湖岸の原野にも雪はうっすらと白く敷かれていた。午《ひる》近く由布姫と勝頼の輿は、高島城を出て、東廻りに湖岸を進んだ。前夜から先きに小坂に出向いていた勘助は、その二つの輿を迎えるため観音院の坂の上り口に、何人かの武士たちと出張っていた。

輿は遠くの方に小さく見えたが、なかなか近寄って来なかった。道がぬかっているので、進みにくいのかも知れなかった。やがて輿は部落にはいり、勘助たちの前で停められた。

「お部屋は暖くなっておろうな」

勘助は周囲の武士たちに何回目かの念を押すと、

「姫さま、お寒い中を御苦労さまでございました」

と言った。輿の内部からは返事はなかった。

「お着きになりました。どうぞお降り下さいますよう」

そう言ったが、相変らず返事はなかった。その時は、二番目の輿からは勝頼は女中に抱かれたまま、雪の地面に降り立っていた。何か不審な気がして、勘助はそっと由布姫の輿の垂れを少し上げてみた。

途端、勘助は顔色を変えて、直ぐ垂れを降ろした。由布姫は居なかった。そこには高島城落城の夜、勘助が由布姫と一緒に救い出した二人の女中の中の若い方が、朱《あけ》にそまって俯伏《うつぶ》していたのであった。白い顔は勘助の方に向けられていた。そして両手は喉《のど》に当てた懐剣を固く握りしめていた。

勘助は周囲の者に気付かれぬように、垂れを降ろしたまま、輿の内部へ手を差し込み、その女中の額に手を当てて見た。微《かす》かに温《ぬく》みがあった。勘助は輿をそのまま観音院の庫裡へと運ばせた。

勝頼を奥へ移してから、勘助は問題の輿を庫裡の土間に入れると、血の気を失った顔で、烈《はげ》しい口調で人払いを命じた。そして、誰の姿も、あたりに見えなくなった時、二度目に垂れをめくった。

「ひ、姫さまはどうなされた？」

勘助は体を半分輿の中に入れ、女中の体を抱き起すと、それを力任せに揺すぶった。

「姫さまは⁉　姫さまは⁉」

併し女は、ついに眼を開かなかった。息絶えていた。勘助は諦《あきら》めると、呆然《ぼうぜん》として土間につっ立った。細かい雪が、その頃からまた舞い出した。


勘助は、由布姫の失踪《しっそう》事件を誰にも知らせてはならぬと思った。

彼はその夜、由布姫が急用ができて高島城へ帰ることになったということにして、自害した女中の屍体《したい》がはいっている輿を、そのまま小坂観音院から運び出した。雪は霏々《ひひ》としてこやみなく降っている。こんどは輿をかついでいる二人の人足のほかは、馬に乗った勘助一人である。

勘助は小坂観音院の坂を降って湖岸の道へ出ると、高島城へ行くのに、道を逆に取った。人足の一人が、道が遠廻りになることを注意したが、勘助はそれを受けつけず、ただ、

「行け！」

と一言命じた。そして湖に沿って二町程進んだ時、輿を停め、

「姫様がお寒いから、観音院へ戻《もど》って、行火《あんか》を用意して持って来るよう」

と、二人の人足に言いつけた。雪の中を人足が遠ざかって行くと、勘助は暫く二人の消えた方を注意深く窺《うかが》っていたが、間違いなく二人がそこにいないことを確かめると、彼は馬から降りて自分の仕事に取りかかった。

そこは天竜川《てんりゅうがわ》の水の取入口であった。大天竜の流れは、源を諏訪湖に発し、伊那渓谷を奔《はし》り、蜿蜒《えんえん》と流れ降って遠く遠江《とおとうみ》に出ている。

勘助は輿の垂れをめくり、女中の冷い屍体を抱え出すと、膝《ひざ》まで雪に没しながら、それを湖の水際《みぎわ》まで運んだ。静かな湖面が、ここだけ烈しい水音を立てて、雪で嵩《かさ》を増した水が物凄《ものすご》い勢で迸《ほとばし》り出ている。勘助は屍《しかばね》を抱えてつっ立ったまま、ほんの暫く河口の水面を見詰めていたが、やがて、反動をつけて、その屍体を流れに投げ込んだ。

若い侍女の骸《むくろ》が水に呑《の》み込まれると同時に、勘助は背後に尻餅《しりもち》を搗《つ》いた。やわらかい雪は小さい彼の体を胴のあたりまで埋めた。勘助は雪面から顔を出している笹《ささ》の葉につかまって身を起した。二、三間向うの水際から、その時何羽かの水鳥が飛び立った。そのあわただしい羽音が、水声に混って聞えた。寂寥《せきりょう》感が勘助の魂を底まで凍らせた。

兎《と》に角《かく》、これで侍女の屍体だけは始末できたと、勘助は思った。侍女が自害したことを知っているのはこの世に自分だけである。それにしても一体由布姫はどこへ行ったのか？　誰にも事件を知られないうちに、自分の力で姫を探し出さなければならない。なるべくなら晴信にも、板垣信方にも知られたくない。

自分の越度《おちど》を、誰にも知られないうちに糊塗《こと》してしまいたいというような料簡《りようけん》ではなかった。はっきり言えば勘助はこの時、晴信のことをも信方のことをも考えてはいなかったのである。晴信や信方の事件ではなかった。彼らがこれを知ったとて、一体それが何になろう。姫の気持を一番よく理解し、姫の立場に立って、一緒になって考えてやることのできるのは、この世で自分だけである。自分が、この勘助が探し出さなければならない。——失踪した娘の身の上を案じる父親のような気持で、いま勘助は由布姫のことを考えているのであった。

やがて人足が帰って来ると、勘助が入れて置いた何個かの石と、新たにそれに一個の行火を乗せて、輿は再び動き出した。こんどは先刻とは逆に高島城へ行く通常の道を取った。

勘助は、若《も》し二人の人足が輿の内容物に気付いたら、二人を斬《き》ろうと思った。併し彼等《かれら》はそれに気付いているのか、いないのか、黙々として雪道を踏んで行った。雪は勘助の頭にも肩にも積もった。

由布姫は晴信と離れて諏訪に住むのを嫌《きら》って、甲斐へ帰ろうとしたのに違いない。そして身代りに侍女を輿に乗せた。侍女は身代りの役を勤めはしたものの、事の重大さを知って、責任上自刃《じじん》して相果てたのである。こう考えるほか考えようはなかった。

輿が高島城へはいったのは、亥《い》の下刻（午後十一時）であった。門をはいると同時に、勘助は輿をかついで来た人足を再び小坂観音院へ帰らせ、輿の中へ入れて来た何個かの石を自分で始末すると、詰所の武士に、輿を適当なところに片づけるように命じた。

これで一応勘助のやらなければならぬ第一段階の仕事は終ったわけである。勘助は直ちに、詰所で信方へ書状を認《したた》めた。姫は風邪で臥床《がしよう》しているが、自分が責任をもってお預かりするから、当分何用があろうとも何人の訪問も禁止して貰いたい。文面はそういった趣である。

「明朝、これを間違いなく板垣様にお届けして貰いたい」

書状を詰所に託すと、勘助は再び馬に跨《また》がって高島城を出た。

相変らず雪は降っている。この雪の夜を、姫はどこで過しているのであろうか。失踪した時刻も、失踪した場所も不明である。勘助は城門を出たところで、暫く雪中に馬を停めていた。馬首をどちらに向けるべきか思い迷ったからである。大抵の場合、どんな事件でも事の真相が自然にすうっと頭の中に浮かんで来る勘助であったが、こんど許りは一切が五里霧中であった。現在、由布姫がどこに居るか、全く見当というものがつかなかった。

勘助は甲斐へ向う往還に馬を走らせた。つい四、五日前、由布姫と一緒に、古府からやって来た道である。併《しか》し僅《わず》か四、五日のことで四辺の様子は全く一変していた。今年最初の雪をかぶって、野も山も木々も、冬のきびしさの中に息をひそめていた。

勘助は高島城を出て最初の部落である宮川まで行くと、軒並みに部落の家の戸を叩《たた》いて廻った。

「姫様が宿を求めては居らんか？　姫様の姿をお見掛けしなかったか？　匿《かく》しだてをすると、一家一門磔《はりつけ》だぞ！」

戸口戸口で勘助は呶《ど》鳴《な》った。どの家でも雨戸を開けた者は恐怖で顔を引きつらせた。彼等の眼には槍《やり》を小《こ》脇《わき》に抱えて馬に跨がっている雪を浴びた化物が映っていた。それでなくてさえ異相の勘助である。その憑《つ》かれたような顔は一種言うべからざる殺気を帯びていた。

部落を駈《か》け廻っているうちに夜が明けた。暁方から雪は歇《や》んだ。尺余の雪を踏んで、勘助は高原地帯を、西南へ、西南へと道を取った。そして部落にぶつかると、その度に勘助は一軒一軒訊いて廻った。

次第に絶望的なものが、勘助の心を羽交締《はがいじ》めにして来た。

姫、姫さま！　心に叫びながら、彼は必死に馬を駈けさせた。そして午頃、彼は小さい丘陵の背で初めて馬を停めた。そして馬が停まると一緒に、疲労と絶望のために、殆《ほとん》ど逆落しといっていい落ち方で馬の背から落ちた。雪で覆《おお》われている熊笹《くまざさ》の中だった。

もう城取りも合戦もなかった。次々に晴信をして四隣を侵略させ、蚕食《さんしょく》して行く夢もなかった。あるものは、ただ恐怖と絶望だけであった。あの美しい姫君がこの世から消えて失《な》くなってしまったとしたら、恐らく自分はもう生きる力を喪《うしな》ってしまうだろうという思いであった。勘助は、初めていかに自分が美しい由布姫に執着する心が強く深いかを知った。

姫、姫さま！

勘助にとって、由布姫は晴信と同様彼の夢であった。この現世に於《お》ける、勘助の唯《ただ》一つの、美しい壮大な夢であった。晴信も必要であったが、由布姫もそれに劣らず必要であった。どちらが欠けても彼の夢は成立しなかったのである。

山中の幾つかの部落を経廻《へめぐ》った勘助が、昨夜訪ねた宮川部落へ舞い戻ったのは六ツ半(七時)であった。事件が発生してから、いつの間にか一昼夜以上を経過している。

夜になると、路面の雪が凍り、馬は脚を運ぶ度に蹄《ひづめ》を滑らせた。仕方がないので、一先ず高島城へ帰り、信方に事の顚末《てんまつ》を話し、部隊を動かして、諏訪湖周辺一帯の地を洗う以外術《すべ》はなさそうであった。

宮川部落と高島城のほぼ中間に当る地点まで来た時、勘助は右手の雑木林の方へ眼《や》を遣ったが、その時、ちらっと灯の光りを見たような気がした。馬を停めて、勘助は雑木林の方を窺った。再び灯は見えなかった。勘助はまた馬を進ませたが、虫の知らせか、何か気になった。半町程行ってから、彼はもう一度いまの地点へ馬を戻した。

雑木林の中に、こんどははっきりと灯の光りが洩《も》れている。勘助は馬を雑木林の中へ乗り入れて行った。少し行くと、小道へ出た。その道について行くと、間もなく小さい堂にぶつかった。灯はそこから洩れている。

堂といっても、人が二、三人もはいればいっぱいになりそうな小さい建物で、壊れかかった古いものである。昼見たらひどいものだろうが、今は雪がそれを化粧していて、どうにか堂の形だけはしていた。勘助は、馬上から、

「誰か?」

と、大音で呶鳴った。途端、それまで入口の扉《とびら》の格子《こうし》から洩れていた火は消えた。

「誰か？」

また勘助は叫んだ。相変らず内部からは返事はなかった。勘助は馬上から、槍の柄で、堂の扉を突いた。その時、

「誰や」

と、美しい澄んだ声が聞えた。

「ひ、姫様か！」

勘助が思わず叫ぶと、暫くして、内部からも、

「勘助か！」

と、こんどははっきりそれと判《わか》る由布姫の声が、案外落着いた口調で聞えて来た。

勘助は馬から降りると、堂の前の二、三段の石段を上がり、扉の前に膝を折ると、

「姫様、御無事でございますか」

と訊いた。と、それには答えないで、

「勘助、何しに参りました？」

咎《とが》めるような口調だった。

「先きに言っておきますが、わたしは御屋形様の許《もと》に帰ります。諏訪に住むのは厭《いや》

じゃ」

「は」

「それを承知してくれますか？」

「は」勘助は、とにかく堂の中へはいって、無事な由布姫の姿を眼に収めないと安心できなかった。

「どのようなことでも、勘助、一身に替えてお引き受けいたします」

「それなら、開けてよろしい」

勘助は扉を開けた。そして闇《やみ》の隅《すみ》にうずくまると、腰から燧石《ひうち》を取り出した。床の上に灯油の皿《さら》があり、それに灯がともされた。

由布姫は濡《ぬ》れた板の間の上に、きちんと坐っていた。豊かな髪は背後に垂れ、うちかけの裾《すそ》は床に拡《ひろ》がり、その美貌《びぼう》と品位は、いささかも、この雪に閉じこめられた祠《ほこら》の中の彼女からも消えていなかった。

「姫さま、何はともあれ、ひとまず諏訪へお帰りなされて下さいませ。その上で、勘助、いかような御相談でもお聞きいたします」

勘助が言うと、

「もう歩けませぬ」

由布姫は言った。

「本当にお歩けになりませぬか」

「足が冷くて一歩も動けませぬ」

「そうでございましょう。それなら甲斐へもお歩けになれぬではありませぬか」

由布姫は黙ってしまった。

「御食事は？」

「昨日の朝から何も食べておりません」

勘助は自分も亦同じことだと思った。併し自分の空腹は感ぜず、由布姫の空腹が、殆ど堪え得られぬ苦しさで、彼に迫って来た。

「早く諏訪へ帰り、暖いものでもお食べになることです」

すると、由布姫は、ひどく静かな声で言った。

「足の冷いことや、饑《ひも》じいことなど、人間の苦しみの中にははいりません。勘助には、何も判らないのです」

「勘助には、姫様の苦しみなら、何でもよく判ります」

「いいえ、判りませぬ」

由布姫は強く否定した。

「御屋形様とお別れになっている苦しさでございましょう」

「それもあります。でも、それだけではありませぬ」

そう言ってから、由布姫は、

「勘助、わたしがなぜ輿《こし》を脱《ぬ》け出し、こんなところまで逃げて来たか判りますか。なぜ、わたしがこのように御屋形様のところへ行きたがっているか判りますか」

勘助は、その由布姫の言葉に、何か不気味なものを感じて、うっかり口がきけない思いで黙っていた。すると、由布姫は、

「あの方のお頭《こうべ》を頂戴《ちょうだい》いたしたかったの」

「えっ!」

勘助は背後にのけぞるほど驚いた。生れてこれほど驚いたことはなかった。

「なんと言われます?」

「何度でも申します。わたしの腕で、首級《おしるし》を頂戴したかったのです」

晴信の寝首をかこうと言う美しい姫の前で、勘助はこまかく体を震わせた。

「でも、心配しなくてもよろしい。いまはただもうお会いしたいだけ!」

ふうっと、勘助の口から吐息が洩れた。いまはただ会いたいだけだという由布姫の言葉が、辛《かろ》うじて勘助の緊張を解いた。

が、それは、ほんの一瞬のことでしかなかった。

「でも、また明日《あした》になったら、お命が戴《いただ》きたくなります」

「ひ、姫様！」

「でも、明後日《あさって》になったら、こんどはまたお会いしたいだけになる」

「姫様！」

勘助は姫の名を夢中で呼んでいるだけであった。何もかもが彼の頭の中で混乱していた。姫、姫！　と、口に出していないと、彼は自分の体を支えていることはできなかった。

「おそらく、一生、生命《いのち》の続く限り、わたしはこの二つの思いに悩まされることでしょう。わたしの父上を殺し、わたしを自分のものになさって、それからまた、わたしをお離しになろうとなさる憎い御屋形様！　でも、わたしに勝頼をお生ませになったお方！　わたしを可愛《かわい》いと仰言《おっしゃ》ったお方！」

嗚咽《おえつ》が由布姫の体を震わせた。床に俯伏《うつぶ》している由布姫のひと握り程の小さい肩を、勘助は呆然と見詰めていた。

勘助は、女の心に、愛と憎の二つの正反対のものが、たいした矛盾もなく交互に現れるものであるということを、由布姫に依って初めて知ったのであった。これは勘助などには手に負えない全く始末の悪いものであった。

由布姫を諏訪へ閉じ込めておくと、晴信に対する憎しみは深まるであろうと思われる。これは避けなければならぬ。と云って、由布姫を甲斐へ帰し、晴信の許へおくと、いついかなる場合、怖るべき事態が発生せぬとも限らぬ。この由布姫に関する処置だけは、勘助にもどうしてよいか見当がつかなかった。

勘助は宮川部落の壊れかかった堂から、由布姫をなだめすかして、ひとまず観音院の一間へ連れて来たものの、これから彼女をどう始末していいか判らなかった。併し、いずれにせよ、由布姫を甲斐へ帰すことは避けなければならない。正室三条氏の嫉妬《しっと》の眼と武田譜代の武士たちの猜疑《さいぎ》の眼が光っている以上、由布姫自身に、いかなる不測の事態が起らぬとも限らぬ。結局、由布姫をあくまで諏訪に置いて、彼女の身の安全を計り、それから由布姫の晴信に対する心を、なんとかして素直なものに導くほかはない。

由布姫を観音院へ連れ戻した翌日、勘助が彼女の様子を見るために出掛けてみると、由布姫は頭痛がすると言って、床に就いていた。

「足のお痛みは取れましたか？」

「いいえ」

「それは困りました。あんな無茶なことをなさるからです。他にお体の悪いところはございませんでしょうか」

「饑《ひも》じいだけです」

「饑じいといって、何も召上がらぬのですか」

「はい」

「それは不可《いけ》ませぬ」

勘助は驚いて言った。すると、由布姫は、

「食べない約束でした。甲斐へ帰る輿へ乗るまでは何も食べないと申した筈です」

「それはそうでしたが」

「わたしは一度言ったことは、かならず守ります」

梃子《てこ》でも動きそうもなかった。

「姫様、お考えをちょっと伺いたいのですが、甲斐へおいでになってしまうと、勝頼様とはお離れになってお住みにならなければなりません。これは御承知でございましょうな」

「承知しております」

「勝頼様がお可愛くはありませぬか」

「子供が可愛くない母親というものはありませぬ」

「それでは勝頼様と御一緒にここにお住みになることです。御屋形様の方は、いつでもこちらにお越しになりましょう」

「当てになりませぬ。あの方は、合戦でもない限り古府からお離れになりません」

「と言って、甲斐へお帰りになれば、勝頼様とお離れにならなければならぬ」

「勝頼は連れて参ります」

「めっそうな！」

勘助は言った。そして、いまは何もかもつつまず彼女に言うべきであると思った。

「勝頼様は当分の間古府にお住みになれません。いついかなる時危険が御身に振りかからぬとも判りません。お判りになりませぬか？　勝頼様のお体には、諏訪家の血が流れております。諏訪家の血は、武田家を呪《のろ》う血であると思い込んでいる者もあります。万一稚児《わこ》様の御身の上に――」

「そんな企みがあるというのですか」

「いや、決して、いまはそのような兆《きざ》しは見えておりませぬ。併し、いつ、どこにそんな考えを持つ人間が現れないとも限りません。だから、稚児様は諏訪にお置きにならなければなりません。諏訪にいる限りは御安全でございます」

由布姫は、それでなくてさえ蒼《あお》ざめている顔を、この時一層蒼くして、空間の一点を見詰めていたが、

「当然なことです。わたしでさえも、御屋形様を——」

「姫様!」

勘助は由布姫の言葉を遮《さえぎ》った。

「ここは山中のお堂の中とは違います。仰言っていいことと悪いことがあります」

由布姫は、その勘助の言葉で素直に口を閉じた。そして暫く考えていたが、

「勝頼はここへ置きましょう」

と、低く言った。

「それがよろしゅうございます。諏訪の民は一人残らず、稚児様を大切にいたします」

「わたしは、でも、やはり甲斐へ行きたいと思います」

「甲斐へ行かなくても、御屋形様が度々こちらにお越しになれば、それで同じことではありませぬか」

「必ずお越しになりますか。勘助、そのことに責任を持てますか」

「信濃に合戦が続く限り、御屋形様はずっと諏訪に御滞在になりましょう。これから何年か、合戦は続きます。村上義清と闘わねばなりません。そしてそれを屈服させたら、その後は越後の長尾と雌雄を決しなければならぬでしょう。御屋形様の御本陣は、これからは古府よりむしろ諏訪に置かねばなりません」

実際、勘助はそう思っていた。これから何年か、武田氏は北信で苦しい闘いを闘わねばならぬ。そしてまた好むと好まないに拘《かかわ》らず、由布姫のために、武田氏の作戦は、北方経略に持って行かねばなるまいと、勘助は思った。

六章

勘助の推測通り、晴信はその後北方の敵と闘わなければならなかった。常に南下を意図している精悍《せいかん》な村上義清と、北信の地に於《おい》て、死闘を繰返さなければならなかったのである。

戸石合戦で武田勢のために苦い経験を嘗《な》めた村上義清は、その後徐々に態勢を整え、天文十六年になると、北信一帯の地に蠢動《しゅんどう》し始めた。晴信もこれに応じて、絶えず軍を動かした。そして彼自身は諏訪の地に居ることが多くなった。

そうした情勢の中で、晴信と由布姫の間は、何事もなく過ぎて行った。勘助は時折、小坂観音院の由布姫のもとを訪れた。

「御機嫌《きげん》およろしくて、何より結構でございます」

勘助はそう言いながら、いつも由布姫の顔を見上げた。そしてその美しい顔が充《み》ち足りて静まっているのを見ると安心した。

「何か少しでも御不満なことがありましたら、勘助にお洩《も》らし戴《いただ》きとうございます」

勘助が探るように言うと、

「何も不満はありませぬ。ただ勝頼が体が弱く、癇性《かんしょう》なことが案ぜられます。諏訪の気候が合わないのでしょうか」

実際、勝頼は一目見ただけで腺病質《せんびょうしつ》なことが判《わか》った。ちょっとした事で、気に入らぬと火のついたように泣いた。併《しか》し、幾ら泣き叫んでも、それは泣き叫ぶ許《ばか》りで涙は一滴も流さなかった。母譲りの目鼻だちの整った顔を真蒼《まっさお》にし、引きつるように体を震わせたが、決して涙を見せることはなかった。

勘助は、そんな常人とは少し違ったところのある勝頼が、むしろ頼もしかった。

「御成人の暁は、摩利支天《まりしてん》か不動明王のようになられるお方でございます。今からやはり違ったところをお持ちでございます」

勘助は言った。彼は本当にそう思い込んでいた。

併し、これは由布姫の前だけであって、勘助は、他の者の前では、勝頼を、到底一人前の武人になる見込みのない羸弱《るいじゃく》な子供として吹聴《ふいちょう》していた。この方が安全であったからである。ただ板垣信方《いたがきのぶかた》だけは、そうした勘助の心を見抜いていた。二人を預かっている特殊な立場のためもあったろうが、信方も亦《また》いつか由布姫と勝頼に好意を持っていた。

そして何となく板垣信方と山本勘助の二人が、由布姫と勝頼を奉じて、諏訪に拠《よ》り、古府の正室三条氏を取り巻く武田譜代の多くの武将たちと対立しているような形を見せていた。

天文十七年八月のことである。晴信は信州佐久郡の志賀城を落し、軍勢一万を率いて、小室の城にはいり、そこにそのまま滞留《とど》した。

村上義清は、珍しく晴信が北信に留まっているのを見て、いっきに雌雄を決せんと、逞兵《ていへい》七千を率いて、葛尾《かつらお》城を出て、千曲川《ちくまがわ》を渡った。漸《ようや》く秋風が渡り始めた上田原《うえだはら》一帯の地が、両軍の決戦の場であった。

晴信は勘助の言を入れて、特殊な作戦を採った。〝しまりの備《そなえ》〟という独特な形の布陣法であった。先鋒《せんぽう》は板垣信方、二陣は飯富兵部少輔虎昌《おぶひようぶしょうゆうとらまさ》、小山田備中守、武田《たけだ》典厩信繁《てんきゆうのぶしげ》、後尾は旗本の馬場民部少輔、内藤修理正、その旗本から五、六町引き退がって原加賀守昌俊が三百余騎を率いて陣を張った。

合戦は八月二十四日の辰《たつ》の刻（午前八時）に始まった。先鋒の板垣信方の三千五百は六段に構えて、村上勢の先鋒と烈《はげ》しく弓、鉄砲を射《う》ち合い始めた。

勘助は合戦巧者の信方を先鋒に配しておけば何の心配もないと思った。乱戦になると、信方には信方なりの弱点もあったが、緒戦に於ては他の追随を許さぬ強味を持っている。彼はいつも合戦最初に敵を制し、あとは遮二無二《しゃにむに》、押しまくって行った。こんどの合戦でも同じことだった。一刻経《ときた》つか経たないうちに、信方は村上勢を斬《き》り崩し、自分が先頭に立って追撃に移っていた。胸のすくような見事な合戦の仕振りであった。

戦場はやがて静かになった。平原の遠い果を、敗走して行く村上勢と、それを追う信方の軍勢とが、短い間隔を置いて二段になって移動して行くのが見えた。合戦とは見えぬ静かな眺めであった。

それから半刻もしないうちのことであった。本営の置かれてある丘陵で、晴信の横に坐《すわ》っていた勘助は、はっとして腰を浮かした。

確かにそう叫んでいる声が聞える。そんなことがあって堪《たま》るか！　併し、その声は次第に高く近づいて来る。

「板垣様、御討死！」

勘助は一人の騎馬武者が、そう叫びながら、丘陵の斜面をこちらに駈け上って来るのを見た。急に天日は翳《かげ》り、冷い思いが勘助の心にぶさぶさと吹きつけて来た。由布姫と勝頼と自分が、ぽつんと広い平原の真ん中に取り残されたような気持だった。

「板垣様、御討死！」

騎馬武者は近づいて来ると、最後にそう叫びながら、馬からどっと丘陵の斜面に落ちた。

「板垣様御討死！」

勘助は右手に握っている槍《やり》で大地を踏んまえるように立ったまま、眼下に拡《ひろ》がっている上田原一帯の平原を睨《にら》んでいた。

主将を討たれた板垣信方の軍勢が、波のように起伏している小丘陵の背や谷を見え隠れしながら四方へ敗走しつつある。蜘蛛《くも》の子でも散らしたようだ。そしてその崩れた板垣軍を真二つに割って、村上義清の主力が、怒濤《どとう》のようにこちらに迫りつつある。

百騎、二百騎が一団になって、その何十という集団が平原の表面を刻一刻黒く塗り潰《つぶ》しながら、こちらに向っている。彼等は敗走しつつある板垣の軍勢など、今や問題にしてはいない。武田の本陣をいっきに衝こうとしていることは火を睹《み》るより明らかであった。

床几《しょうぎ》に腰を降ろしたまま、勘助と同じように、眼を平原に落していた晴信は、

「二陣で耐《た》えられるか」

と、勘助に言葉をかけた。先陣の板垣勢が敗れたので、この敵の主力にぶつかるのは、飯富兵部少輔虎昌、小山田備中守、武田典厩信繁の第二陣部隊である。

「さあ」

勘助にも判断はつかなかった。

「出ないな」

晴信はまた言った。味方の二陣部隊は、本陣のある丘陵の裾《すそ》に展開したまま、息を詰めたように、じっと鳴りをひそめている。一兵も動かない。味方が行動を開始しないことが、晴信には多少気がかりのようである。

「飯富様に思案がございましょう」

勘助は言った。気負い立って進撃して来る敵の大軍を迎え撃つ場合、飯富虎昌は見

事な合戦をする。迎撃戦になると妙な強さを見せる武将である。勘助が飯富虎昌を二陣に配したゆえんである。

と、その時、果して、山裾一帯の地に喚声が起った。小山田、武田信繁の二部隊が敵の真正面に展開した。と、それと同時に、横手から敵の側面に飯富部隊の騎馬兵が横隊の前面に突撃を開始した。旌旗《せいき》が薄《すすき》の穂のように光り、喚声と太鼓と法螺《ほら》が、血《ち》腥《なまぐさ》さを持たぬ澄んだ響きで聞えて来る。

平原はまたたく間に、合戦の修羅場《しゅらじょう》と化した。何千の人と馬が入り乱れて闘い出した。本陣のある丘陵から見ていると、敵も味方も区別出来ない。時折、飯富隊の新しい何百かの騎馬武者が、乱戦の中へ補給されて行く。

「全く互角でございますな。併し勝ちましょう。勝つには勝ちますが——」

勘助は言いかけたが、いきなり立ち上がると、

「義清はここを衝く気でございます」

と、少し顔色を変えて言った。明らかに村上軍は崩れかかっていたが、その頽勢《たいせい》とは全く別個に、敵の三百騎許りが一団となって、小山田隊を二つに割ろうとしている。遮二無二突撃路を開こうとしている。明らかに彼等は、いま晴信と勘助がいるこの丘陵の本営を目指しているのである。

「御旗本を三町許り移動させてはいかがでございましょう」

勘助は言ったが、晴信は返事をしなかった。退却するより撃って出たいらしい。

「御旗本を少し移動させなくてはなりませぬ」

こんどは勘助はやや命令的に言った。こうした場合を慮《おもんぱか》って、第三陣に馬場民部、内藤修理正を後尾として配しているのである。

晴信は命令を下さなかった。僅《わず》か敵の三百騎許りに追い立てられたとあっては、武将として名折れだとでも思っているのかも知れない。

「早く退《ひ》けば、義清を撃てましょう」

「誰が撃つ？」

「後備《あとぞなえ》の馬場隊か、内藤隊が撃ちます。そのための後備でございます。義清を討つ千載一遇の機会でございます」

勘助は必死だった。三百騎がここへ突進して来る。武田の中でも精悍無比な騎馬隊をもって知られている馬場隊が右から、内藤隊が左から、この丘陵で彼等を押し包み、一兵残らず討ち果すことであろう。

「この本営では撃てぬか」

晴信は言った。

「撃てましょう。併し、撃ったとて何になりましょう。作戦というものはそういうものではございません。初めから第三陣を配しております。撃つ役は馬場隊と内藤隊でございます。上様がお撃ちになっても、なんの誉《ほまれ》にもなりませぬ」

「よし、退け」

初めて晴信は言った。

馬場隊、内藤隊へ進軍を命ずる太鼓が打ち出された。そしてそれと一緒に「風林火山」の牙《が》旗《き》が大きく揺れ、本営を埋めていた何十本の旌旗が一カ所に集まって、丘陵の東の斜面を、ゆっくりと移動し始めた。勘助は早く移動したかった。併し晴信は移動することだけは承知したが、その移動の仕方は不承不承である。

その時平原の方へ眼を遣《や》った勘助はぎょっとした。平原を丘陵の裾に向って驀《ばく》進《しん》して来る一団を見た。敵の一団であった。味方の後尾はまだ移動を開始した許りである。

「上様」

勘助は自分の馬をぴたりとつけた。

「退き方が遅うございました。敵は道を開きました。義清は旗本と旗本で決戦する決心と見受けます。こうなりますからは、あとは勘助の言う通りにして戴かないと困ります」

言うや否《いな》や、勘助は敵の一団を迎え撃つために、旗本に迎撃の命令を下した。もう晴信に構ってては居られなかった。

勘助は晴信の傍《そば》にぴったり身をつけたまま、極《ご》く短い静かな時間を持った。二町程離れた小丘陵の背に、敵の騎馬隊は現れると、すぐまた谷へ下った。やがてここへ駈け上がって来るだろう。後尾の馬場隊と内藤隊がこの丘陵に到着するにはまだ少し間がある。

やがて喊声《かんせい》と馬蹄《ばてい》の響きが沸き起り、忽《たちま》ちにして、四辺《あたり》は死闘の修羅場となった。勘助は百騎程で晴信の周囲を固めたまま、丘陵を下ろうとした。守るものと、攻めるものの差があった。敵の五、六十騎が雪崩《なだ》れ込んで来た。それと一緒に晴信を固めていた百騎は散った。

あとは乱戦だった。

勘助は晴信の傍にくっついたまま、二人の突撃者と渡り合って、相手を馬から落した。

勘助はいつか自分と離れている晴信を探した。

と、半町程離れたところで、卯《う》の花縅《はなおどし》の鎧《よろい》に、諏方法性《すわほっしょう》のかぶとをかぶって、黒い馬にまたがり、敵の一騎と斬り結んでいる晴信の姿が眼にはいった。お互いに舞でも舞っているように、ゆったりと馬を走らせ、近寄ると、二、三合斬り結び、また離れて行く。

勘助はその時、その敵の一騎が、村上義清であるに違いないと思った。その武者振りは義清以外の人物であろうとは思われなかった。今や二人は全軍の指揮者ではなかった。お互いに相手の生命を狙《ねら》う格闘者であった。全軍の死闘とは別に、修羅場とは少し離れたところで、二人は二人だけで、誰にも邪魔されず雌雄を決しているような感じがあった。

勘助と二人の格闘者の間には、何百人かの敵味方の武士たちが闘っている。勘助は身を屈《かが》めると、馬首を二人の総帥《そうすい》の方へ向けた。肩を痛みが走った。横合から斬りつけられたらしい。馬が跳ね上がった。

その時、晴信と義清はまた多勢の敵味方の武士に取り巻かれた。後尾の馬場隊がこの戦線に到着したのである。

義清の馬が大きく跳ね上がり、彼が地上に落ちるのを勘助は見た。敵の五、六十騎が義清を救うためにその場に殺到した。やがて彼等は義清を救い上げると、一塊りになって、丘陵を降りて行った。襲い方も早かったが、退却の仕方も早かった。

「上様」

勘助が近寄って行くと、晴信は、

「逃がした！」

と言った。

「向うもそう思っておりましょう」

勘助はその場にいた旗本の軍勢を集めると、斜面を降り出した。喚声がひっきりなしに聞えている。馬場隊と内藤隊が追撃戦に移っているのであろう。

それから間もなく谷を一つ隔てた向うの丘陵に武田の牙旗は翻《ひるがえ》った。合戦は辰の刻（午前八時）に始まって、申《さる》の刻（午後四時）に全く終った。

その頃から新戦場には雨が降り出した。小雨の中で、首帳が認《したた》められた。敵の首級二千九百十九級、味方の討死七百余人。

全軍が集まって勝鬨《かちどき》を挙げたあとで、勘助は、

「上様！」

と、晴信の前に進み出た。

「言うな」

晴信は勘助に叱言《こごと》を言われると思ったのである。併し、勘助はそんなつもりではなかった。

「義清はこれで二度と立てぬでしょう。これからは、その向うの大物との闘いでございます」

「誰だ？」

「長尾《ながお》景虎《かげとら》でございます」

「どうして」

「義清は今日は最後の決戦をしかけて来たと思います。普通の合戦の仕振りではございませぬ。併し、それに破れました以上、もう自力ではやって参りませぬ。長尾景虎を引き入れて、景虎の力で、上様のお生命《いのち》を狙《ねら》うことでありましょう」

それから勘助は晴信の前を辞すと、板垣信方の首級を抱えて、馬に乗った。そして、板垣部隊の将士を引き連れて、一足先きに諏訪に向けて発足した。激戦で忘れていた信方討死の悲しみが、新戦場の腥《なまぐさ》い風と一緒に、勘助の心を押し包んで来た。

上田原の合戦に依って、武田晴信と村上義清の間には大きい隔たりができた。仁科《にしな》、更科《さらしな》の両郡は大方武田家の領地となり、高坂、井上、綿内、須田《すだ》、高梨《たかなし》、瀬場等のこの地方の諸城砦《じょうさい》は、尽《ことごと》く武田に降《くだ》り、戸谷の城も開城し、漸く武田の勢威は強大となった。

これに反し、村上義清は上田原の一戦でまさに一敗地に塗《まみ》れた形で、部下の将士の大部分を失い、再び独力で起《た》つことはできなくなった。

晴信は義清との決闘に依って二カ所まで疵《きず》を蒙《こうむ》ったが、間もなく治癒《ちゆ》し、勘助も、その異相の面に数創を刻まれたが、これもほどなく全快した。

上田原の合戦からまる一カ月経った九月の終りに、諏訪で板垣信方の葬儀が盛大に取り行われた。信方の跡は嫡子《ちやくし》弥次郎信里が継ぎ、父に替って諏訪を預かることになった。この天文十七年の秋の風は、勘助の心には冷く滲《し》みた。彼は古府へは帰らず、板垣信方の葬儀やそのあとの仏事のために、高島城に留《とど》まっていた。

信方の死は、なんといっても、勘助には痛手であった。必ずしも信方は勘助にとって味方とは言えなかったが、併し曾《かつ》て勘助の仕官の仲介の役を取っていたので、そんな関係から、少なくとも勘助の敵ではなかった。勘助の策謀家としての性格も、誰とも妥協しない孤独な性癖も、信方だけはそう悪意には受け取らず、理解していたようである。信方に死なれて、一番痛手を受けるのは由布姫の筈であった。由布姫が晴信の側室になった経緯も、諏訪の観音院へ移った事情も、よく知っているのは、晴信を除いては、勘助と信方だけであった。その信方に亡《な》くなられて、勘助が孤立無援の淋《さび》しさを感じたのは当然のことであった。

十月の十一日、高島城へ早打ちの馬が、短い間隔を置いて三騎駈け込んで来た。古府の晴信の居館からのものであった。

越後《えちご》の長尾景虎（後の上杉謙信《うえすぎけんしん》）は村上義清の請を入れて、大軍を率いて信州に向って進発しつゝあり。晴信は明十二日申《さる》の刻（午後四時）に、本隊を率いて古府を出発、十五、六日に小室に着陣、海野平《うんのだいら》に景虎の軍を迎え撃たんとす。諏訪の板垣部隊も、勘助と共に小室に向うべし。――こういう指令であった。

上田原で勝鬨を執行した直後、勘助が晴信に言ったことが、それから二カ月経つか経たないうちに、現実となって現れて来たのである。

長尾景虎はまだ十八歳であるが、勇武をもって鳴る越後の勇将である。景虎と晴信の、両勢力の間に、これまで村上義清が介在して居て、両者の直接の接触を妨げていたが、村上義清破れ、ここに景虎、晴信の二大陣営が戦場に於《お》いて、雌雄を決せねばならなくなったのである。好むと好まぬに拘《かか》わらず、やがてはこうした情勢に立ち到ることは勘助にも判っていたが、その時がこのように早く来ようとは思ってはいなかった。

早馬の注進を受けた高島城は、出陣の用意のために、上を下への大騒ぎであった。若い弥次郎信里を督励して、勘助は一切の采配《さいはい》を揮《ふる》った。進発は明十二日早暁《そうぎょう》と決まった。

その夜の戌《いぬ》の下刻（午後九時）、勘助はふと観音院の由布姫を訪ねてみようかと思った。なぜ出陣前夜の忙しい最中、由布姫を訪ねたくなったのか、自分でも判らなかったが、兎《と》に角《かく》勘助は観音院に馬を走らせてみたくなったのである。

勘助は思い立つと、じっとしていられなくなった。直ぐ馬を引き出すと、供をもつれず、馬に鞭打《むちう》って、諏訪湖の湖岸を駈けた。彼が初めて高島城へ使いに来た夜のように、湖岸には篝火《かがりび》が焚《た》かれ、その火が静かな湖面を赤くただれさせている。晩秋の夜風は頬に冷たかった。

勘助は休みなしに馬を駈けさせて、小坂観音院へ着いたが、館《やかた》は木立に埋もれて、ひっそりと寝静まっていた。庫裡《くり》の横手に出来ている警固の武士の詰所を覗《のぞ》くと、不寝番の武士が二人不意の勘助の来訪に驚いて戸外へ飛び出して来た。

「変ったことはないな」

「ございませぬ」

「館の周囲もよく見廻るよう」

「承知いたしております」

「姫様は？」

「お寝《やす》みでございます」

「よし」

勘助は直ぐ帰り支度を始めた。勘助は一眼でも由布姫の顔を見て帰りたかったが、既に寝所へはいっていると聞いて、そのまま帰ることにした。由布姫に会っても、別に用事はなかった。もともと、何の理由もなく、由布姫の館を見舞いたくて出掛けて来たまでのことである。

坂の下まで武士たちに送られて来た勘助は、そこで再び馬に跨《また》がった。

「あとを頼むぞ」

言い残して、勘助は再びもと来た道を引き返した。

観音院から三町程のところにある小さい部落へはいった時、勘助は前方に二十人程の一団の人々が通って行くのを見た。いずれも屈強の武士たちで、一梃《ちょう》の輿《こし》を囲んでいる。侍女風の女も二、三人混っている様子である。

武士たちに囲まれている以上、相当身分ある人間が輿の中に乗っている筈である。侍女が付き添っているところを見ると輿の中には女がいるのかも知れない。それにしてもおかしいと勘助は思った。身分ある者の通行なら、高島城に居る自分の耳に入らぬ筈はない。しかも夜である。どこかに人目を避けるようなところの感じられるのも訝《いぶか》しい。

一体、何者の通行なのであろう？　勘助は一町程の間隔を、そのまま詰めもせず、開きもせず、その一団の人について馬を歩ませて行った。

と、行列は一軒の農家の前で停《と》まった。そしてやがて輿だけが、道から少しはいり込んでいる農家の前庭の方へ運ばれて行った。

勘助は馬から降りると、馬を道端《みちばた》の樹木に繋《つな》いでおいて、その農家へ近づいて行き、その家の横手から屋敷内へとはいって行った。

灯火の洩《も》れている母屋《おもや》に近づいてみると、土間の戸は開け放されてあった。広い土間の上《あが》り框《がまち》に一人の若い女性が腰を降ろしており、少し下がって、三人の武士と一人の老女が土間に跪《ひざまず》いている。農家の者たちはみんな板敷の部屋の隅《すみ》の方に寄り集まってかしこまり、この家の主婦らしい女だけが一人、上り框の女性に茶を出している。

勘助は、その若い女に眼を当てていた。年の頃は由布姫より二つ三つ年長であろうか、いずれにせよ、二十歳を出るか出ないかの娘である。ひどくおっとりしたものが、茶碗《ちゃわん》を両手に持っているその姿態には感じられた。茶碗を口から離すと、その度に、物珍しそうに、彼女は眼を建物の内部のあちこちに向けている。

由布姫の持つあの気品高い美しさはないが、併し、やはり勘助は、この姫の美しさに眼を見張らずにはいられなかった。頰はふっくらと豊かにふくらみ、大きな黒い瞳《ひとみ》は、何かとてつもない大きなことでも夢みているようなあどけなさを持っている。由布姫とは何もかも対蹠《たいしょ》的である。由布姫の美しさは一口に言って烈《はげ》しさであるが、この女性の美しさはおおどかさにあるようである。

「姫様お発《た》ちになりますか」

老女が訊《き》いた。

「はい」

「もう少しお休みになりますか」

再びそう老女に訊かれると、女はまた同じ表情で、

「はい」

と答えている。農家の主婦が、眩《まぶ》しそうな顔で、何回めかの茶を注《つ》いで出すと、彼女はまた茶碗を取り上げた。そして両方の手で茶碗をはさんで、その温《ぬく》みを掌《て》の中に受け取るようにしていたが、口には持って行かないで、そのまま、茶碗を板敷の上に置き、

「もう結構です」

それから主婦の方へ品のいい笑顔を向けた。一体この女は何者か？　相当の名のある豪族の娘であるに違いないが、それにしても一体、この女はこれからどこへ行こう

としているのか？

やがて土間に居た三人の武士と老女が立ち上がると、女もゆっくりと腰を上げた。老女だけが一人あとに残った。

「突然、お邪魔してお騒がせしました。姫様が、お茶を召しあがりたいとおっしゃったので、こんなことになりました。これはほんのお礼の気持です」

そう言って、老女は小さく紙に包んだものを上り框の上に置いた。それからそれを、辞退する主婦に押しつけ、

「高島のお城を通らないで、韮崎《にらさき》の方へ行く道がありますか」

と訊いた。主婦は何かくどくどと答えていたが、その言葉は勘助のところまでは届かなかった。

高島のお城を通らないで——その言葉が、勘助の心には強く響いた。勘助は直ぐそこを出ると、再び背戸を抜け、土蔵の横手から往還へ出た。行列は既に出発しており、一番最後に農家を辞した老女が、小走りに一町程ひらきの出来た一団を追おうとしていた。

勘助は馬はそのままにしておいて、老女のあとを追った。

「もし」

勘助が背後から声をかけると、老女は驚いたように振り向いた。途端、勘助の右手が伸びたかと思うと、老女は前のめりに、勘助の腕の中へ倒れかかって来た。

勘助はその老女の体を抱えたまま、ちょっと四辺を見廻《みまわ》していたが、そのまま道から左手の叢《くさむら》の中へとその無力な荷物を運び込んだ。そして老女を夜露に濡《ぬ》れている地面の上に坐らせて、体を荒々しく揺すぶった。

「危害は加えぬ。訊きたいことがある」

勘助は言った。

「一体、貴方《あなた》はどなたです?」

怯《おび》えてはいたが、案外確《しっか》りした口調だった。それには答えないで、

「一体どこへ行く?」

「甲斐へ参ります」

「甲斐のどこへ行く?」

「それは申し上げられません。上司から固く禁じられております」

「あの輿の中の人間は誰だ?」

「申し上げられませぬ」

「女だな」

「いいえ、違います」

「嘘《うそ》を言っても駄目《だめ》だ。この二つの眼で女であることを確かめている」

それから勘助は、ひと筋縄《なわ》では行かないと思ったので、

「正直に言わぬとあらば、気の毒だが生命を貰わねばならぬ」

「一体、貴方は誰です」

また女は訊いた。

「お金でもほしいのでしょうか？」

女の口から出た言葉は意外だったが、勘助にはむしろその方が好都合だった。

「いかにも、金が貰いたい」

「幾らほしいのです」

「輿の中の人間の正体を知った上で、改めて値踏みする」

すると、老女は勘助を本当の夜盗か強請《ゆすり》とでも思い込んだ風で、急に口調を改めると、

「油《ゆ》川《かわ》刑部守《ぎょうぶのかみ》様の御息女です」

それから、これだけ言えば手出しはできぬだろうと言うように、

「退《さ》がりや！」

きめつけるように言って、すっと立ち上がった。油川刑部守の息女！　油川家と言えば、音に聞えた信濃の豪族である。併し今は絶えている筈である。勘助はそのままそこに坐っていた。油川家の息女が甲斐へ行く。夜、老女が付き、武士二十人が従っている。しかもなるべく高島城下を通らぬ道を選ぼうとしている！

勘助はいつか地面の上に、膝《ひざ》をきちんと揃《そろ》えて坐っていた。一体この事実は何を意味するであろうか。

「待て！」勘助は大喝《だいかつ》して、その場を去ろうとしている老女を呼びとめた。何もかも泥《どろ》を吐かせてやろうと思ったのである。

「油川家の者であろうと、誰であろうと、夜陰にまぎれて、諏訪御領地を無断で通り抜けるとは怪《け》しからぬ」

「――――」

「ここは上様からお預かりしている土地だ」

「では、貴方は高島城のお方ですか」

それから口調を改めて、

「悪いことは言いませぬ。このままお退がりなさい。妾《わたし》たちはその上様の御命令で通っているのです」

「なんと?」

「古府の御屋形様の御命令で、甲斐へ行くのです。退がりゃ」

こんどは本当に老女は歩き出した。晴信の命令で甲斐へ行く! 勘助も直ぐ立ち上がったが、彼の方はこんどは老女に声もかけなければ、老女を追いもしなかった。勘助は馬を繋いだところへ戻ると、その馬に跨がった。それから鞭《むち》を当て、馬を駈けさせた。程なく先刻の一団が行手に見えた。勘助は馬の速力をゆるめることなく、その輿の一隊の横をまっしぐらに駈けぬけた。

高島城付近の篝火は先刻よりもその数を増していた。それが見え出した頃、勘助は初めて我に返った。そして彼はまた馬首を返した。そして半里程駈け、もう一度馬首を返して、こんどはゆっくりと高島城へと馬を進めて行った。

そんなことがあって堪《た》まるものか! そんな莫迦《ばか》な! 勘助は一つの想念のとりこになっていた。体は汗でぐっしょりと濡れていた。晴信が、美しい由布姫をさし措《お》いて、油川の息女を側室として迎えるようなことがあって堪まるか! 併し、そうしたこと以外、油川の息女の夜陰に紛れての甲斐入りは考えられない事だった。

若《も》し、そのような事があったら! 可哀《かわい》そうではあるが、先刻のあの美しい娘の生命は貰わねばならぬ。由布姫のためにも、勝頼のためにも、そしてまた武田家のためにも、油川の息女の生命は断たなければならぬ。

勘助はいつか高島城の城門へ馬を乗り入れていた。城内には出陣の武士たちが、身動き出来ないほど充満し、何十もの篝火が焚かれ、太鼓はひっきりなしに打ち出されている。

勘助は、その雑沓《ざっとう》を横切っている時、二十八歳の晴信の若々しい精力的な顔と体を思い浮かべ、絶望的なものを感じた。何とかして由布姫以外の女が彼に近づくのを拒む方法はないものか！　出家させたらどうか？　出家でも普通の出家では駄目だ。女色を断つ誓いをたてさせる方法はないものか！　勘助は真剣にそんなことを考えていた。これまで晴信について一番頼もしく感じていた意慾《いよく》的な眼の光りと、疲れを知らぬ精力的な体の張りが、この時の勘助には、全く違った厄介《やっかい》なものに映っていた。

勘助が雑沓を横切って城内の広場へ出た時、いきなり三、四人の武士が、馬のくつわにしがみついて来た。

「御出陣の時刻が迫っております。直ぐ御用意を」

一人が言った。

「判っている！」

それから、彼は小さい体を馬の背から地面へ降ろすと、

「そうだ、斬らねばならぬ、この腕で生命を断たねばならぬ」

と、ゆっくりと、その場に居合わせたものが驚くような大声で言った。越後の若い武将長尾景虎のまだ見ぬ俤《おもかげ》と、先刻湖面の農家の土間に見た油川家の息女の顔が、どちらが当面の敵であるか判定できぬような、そんな絡《から》み合い方で、勘助の眼には浮かんでいた。

七章

諏訪の板垣勢が小室に着陣したのは十六日の午下《ひる》がりであった。古府からの本軍は既に前日牙旗《がき》を北方の小丘陵の麓《ふもと》に立て、諸城砦《じょうさい》から参集する部隊を待っていた。

勘助は小室に到着すると、直ぐ晴信のもとに伺候《しこう》した。

「御苦労だったな。やはりその方の言ったことが当った」

いつもの言い方とは少しだけ違っていた。平生《へいぜい》の語調の烈《はげ》しさが、なんとなくためられている感じで、勘助にかける言葉も穏やかであった。

勘助は、晴信の顔を見ると、言いたいことがいっぱいある気持だった。由布姫や勝頼のことも忘れ、油川の息女などに眼をつけることに対して、少し強いことを言ってやりたかった。

「上様は、ここ当分、合戦《かっせん》のこと許《ばか》りお考えになることが肝要だと存じます」

勘助が言うと、

「合戦のこと許り考えている」

晴信は眉《まゆ》一つ動かさず言った。

「ほかのことはお考えになりませぬか」

「考えぬ」

「油川様の――」

言いかけて、勘助は顔を上げて晴信の顔を見守った。

「油川がどうした？」

「油川刑部守様の御息女――」

「ほう!?」

全く耳にしない者の名を耳にしたといった面持《おもも》ちであった。

「それがどうした？」

「御存じありませぬか」

「知らぬな」

「お会いになったことはございませぬか」

「ない」

それから晴信は、

「今日の勘助はどうかしているな？」

と笑った。それまで勘助の心に詰めかけていた疑念は、霧でも去ってゆくように取り払われ、急に心は晴れ晴れとして行った。

「油川の娘がどうしたというのか」

「いいえ、なんでもございませぬ。ただ、そうお訊《き》きしたまでのことでございます」

「余も、油川家の者には会ってみなければならぬと思っていた。時々、そうは思うが、未だに果さずいる。娘に会えるなら会ってみたい」

めっそうな！　と勘助は思った。会わせてなるものか！　あんな美しい息女を晴信に会わせたら、どんなことになるか判《わか》ったものではない。

「これからは、当分、合戦合戦でございますな」

話題を転ずるように、勘助は改めて、全身に若さと気魄《きはく》のいっぱいこもっている若い武将の顔を見詰めて言った。

油川家の息女についての疑念は一応は解けたが、勘助は危険なものを見る思いで、晴信の体に新しい視線を投げかけずにはいられなかった。

「いよいよ、長尾景虎との一戦でございますな。どこで闘いを始められます」

「海野平《うんのだいら》はどうかな」

「結構でございましょう」

頼もしさが、勘助の心を明るくふくらませた。一言で合戦の場を、海野平と言いきったところが嬉《うれ》しかった。

信濃での合戦であってみれば、こちらから少しでも先きに踏み込んで行きたいところである。それを反対に、相手に踏みこませ、海野平でそれを迎撃しようとするのは、満々たる自信である。誰の眼にも合戦の場としては一応川中島が映る筈《はず》である。併しまだ一度も槍《やり》を合わせたことのない相手と、川中島で顔を合わせれば、勝てばよし、負ければ命取りになる。川中島での合戦は、地形の関係上、どちらにとっても決定的なものになる筈である。それを避けたところは、やはり晴信の持っている慎重さと見ないわけには行かぬ。海野平なら、双方とも軍を引くのに都合がよい。

合戦の準備全くなったが、晴信は軍を動かさなかった。十六、十七、十八と三日間を、甲斐勢は小室で無為に過した。

海野平に向けて進軍の法螺《ほら》が鳴ったのは、十八日の深夜であった。夜行軍をして、海野平に到着するや、一刻の休憩もなく即座に合戦を始める予定であった。と言うのは、甲斐勢が海野平に到着する殆《ほとん》ど同じ時刻に、越後の軍勢も亦《また》同じ場所に姿を現す筈であった。

暁方《あけがた》、山本勘助と小幡虎盛と原虎胤の三人は列を離れ、馬を馳《は》せて、部隊に先行した。物見をするためである。晴信が、彼が信用している三人の武将に同じ一つの使命を与えたことは、これまでにないことであった。三人は口をきかないで、半間程の間隔を保って、馬を走らせて行った。

勘助は先頭に進んでいた。彼には、自分のあとに続いている二人の武将が何を考えているかよく判った。己れ一人で充分なのに、別に二人もつけて敵状を視察させようという晴信の考えに、虎盛も虎胤も、多少の不満を持っているだろうと思った。そんな不満を持ちそうな自信家たちだった。

併《しか》し、勘助は満足であった。晴信が長尾景虎との一戦に対して、このように慎重に振舞っていることが、勘助の場合は不平にならず、むしろ頼もしい気持になっていた。

「上様はもうどんな大合戦をもなされる器量をお具《そな》えになったな！」

勘助は馬を停《と》めて振り返って虎胤に言った。

「そうだのう。合戦の駆引きとなると、われわれの誰《だれ》も及ばぬ」

そう虎胤は答えた。虎胤は本当にそう思い込んでいる風であった。勘助は、合戦の駆引きでは晴信より自分の方が一段も二段も上だと思う。ただこんどの合戦において、初めて晴信が現した慎重な態度が、今まで晴信が外部に見せなかったものだけに、勘助は堪まらなく嬉しかったのである。

夜が明け始める頃から、三人は別々の行動を取って、それぞれ自分の考えから、勝手な方向へと散って行った。勘助は千曲川の磧《かわら》に沿って、殆ど遮蔽物《しゃへいぶつ》のない場所を馬を走らせて行った。行手に何騎かの姿が見え、それが小さく川霧の中に隠顕していた。敵の物見らしかった。

勘助は構わず、磧の石を踏む馬蹄《ばてい》の音を響かせて、霧の中へはいって行った。敵の物見は逃げ去ったのか、霧が晴れた時には、もうあたりに人間の姿はなかった。

勘助は川の土堤《どて》から、更に丘陵に上った。遠くに、何本かの鎖のように、人馬の黒く細い隊列がこちらに伸びて来るのが見える。

勘助は馬を停めたまま、飽かずそれに見入っていた。初めて眼にする長尾景虎の軍勢のたたずまいであった。いつか一度は打ち破らねばならぬと思っていた相手である。

甲斐の部隊とは違って、静かな移動の仕方であった。部隊の主力を匿《かく》すような隊形は取らず、堂々と頭から尻尾《しっぽ》までを曝《さら》している。

総帥《そうすい》景虎は十八歳の筈である。晴信より一廻りは若い。勘助は長いことその若い敵将の率いる部隊を見守っていた。千曲川の流れに沿って、千曲川の屈曲と同じ屈曲を取って進んで来る人馬の細い鎖を、軽い陶酔感を以《もっ》て眺めていた。千曲川の流れが自然であるように、越後勢の進み方も自然であった。川の流れと同じ素直さと柔軟さを持っていた。

勘助が部隊へ戻り、晴信のもとに参じたのは、巳《み》の刻（午前十時）である。

千曲川の磧から三町ほど離れた丘陵の杉木立《すぎこだち》の中であった。晴信は馬を降りて、床几《しょうぎ》に腰を降していた。原虎胤も小幡虎盛も既に帰っていて、晴信の前に坐って、勘助の帰りを待っていた。

「勘助言え！」

晴信の方で先きに口を開いた。

「原殿、小幡殿からお聞きになりましたか」

「聞いた」

「それでは、それで充分でございましょう。お二人にめったにお見誤りはないと思います。人数は六千内外」

「六千!? 三人ともぴったりと一致しているな」

晴信は言った。

「そうでございましょう。敵は進軍中で、部隊を展開してはおりませぬが、おそらくあのままの隊形で合戦を始めるものと考えます。そうすると、合戦を持って持たない感じで、今までのお相手とは全く違います。敵の備えの作法は甚《はなは》だ厳重でございましょう」

「進軍の隊形のままで合戦にはいると見ることも、虎胤、虎盛と一致している……」

晴信は満足そうであった。

「併し、ただ一つ、原殿、小幡殿と、勘助の考えの違うところがございましょう。それは、こちらの合戦の仕方でございます。お二人は味方の一万五千という数に物を言わせて、先きに打って出るお考えかと存じます。併し、勘助は攻めないで守る方を得策と考えます。守備して時刻を移せば、人数の少ない敵は次第に弱り、味方の勝利は当然でございます。人数に物を言わせて攻めかけ、乱戦になれば、味方の損でございます。景虎は音に聞えた剛将でございます。乱戦になれば、彼は旗本をもって、こちらの旗本と勝負をつけようとするでありましょう。上様はまた、この間、村上義清となさったように、十八歳の越後の大将と槍を合わせなければならなくなります」

勘助は言った。黙って聞いていた晴信は、少し厭《いや》な顔をして、

「勘助の言葉を採ろう」

と、短く言った。村上義清との一騎打ちのことを持ち出されると、晴信は勘助に頭が上がらなかった。彼の言うなりになるより仕方がなかったのである。


合戦は午《うま》の刻（正午）に始められた。

陣は鶴翼《かくよく》に張った。主力は鶴《つる》の胴体である。そしてその両側に恰《あたか》もその翼のように二つの枝隊が、主力より少し先きに布陣する。先手の右の方は小山田備中守、左は小山田左《さ》兵衛尉《ひょうえのじょう》。旗本の前備《まえぞなえ》は真田《さなだ》幸隆《ゆきたか》。旗本から右手に五町ほど離れて飯富《おぶ》虎昌。旗本の後尾は、馬場、内藤、日向、勝沼、穴山、信繁の六部隊で、これらは本陣の後から順次雁行《がんこう》に布陣した。そして更に後方に、原加賀守昌俊が九千騎を従えて後備《あとぞなえ》に立った。

勘助は本陣にあって、晴信の横で合戦の始まる時を待っていた。

「今日は景虎を討とうなどというお考えを持ってはなりませぬ。景虎の合戦の仕ぶりだけを見れば、それで充分でございます」

勘助は、自分がむしろ晴信より興奮しているのを感じていた。晴信に短慮をいましめてはいるものの、晴信の方はこの前の村上義清との合戦の時より、ずっと落着いて悠々《ゆうゆう》たる態度である。

勘助は、併し、興奮しても仕方がないと思った。いつか、近いうちに、長尾景虎は討ち取らなければならぬ。これさえ討ち取れば、武田の勢力はいっきに裏日本の海へ通ずる。日本の胴体はそっくりそのまま若き晴信のものになるわけであった。

合戦は小山田勢と越後の先陣長尾政景勢とが、互いに寄り合って、鉄砲を打ちかけたことから始まった。

銃声の聞えたのは極く短い時間のことである。やがて喊声《かんせい》が天地にとどろき渡った。

小山田備中守勢が手に手に槍を持って、千曲川の磧に続く平原を突撃して行く。

「どうかな」

晴信は言った。

「小山田勢が勝ちましょう。敵の先陣を追い散らしましょう。併し、次は小山田勢が引き退きましょう。そういう陣形でございます」

勘助はそれ以外考えられなかった。互いに、全く欠点のない陣を張っている。一部隊が勝った時は、次に敗退することをその部隊は約束されたようなものである。

小山田勢が敵の先陣をひた押しに押している。風の加減か、両軍の死闘の雄叫《おたけ》びが、まるで違った方角の千曲川のはるか下手の方から聞えて来る。

そのうちに、勘助の予測通り、小山田勢に抗しかねた敵の先陣は総崩れになって二町ほど後退した。

先陣の左翼の小山田左兵衛尉の部隊は敵の左の先手と闘いを開始したが、この方は味方が押され気味で、やがて小山田左兵衛尉の部隊は、じわじわと後退してくる。

「面白《おもしろ》うございますな」

いつか、勘助は合戦に見惚《みと》れていた。今までにこれほど面白い合戦を見たことはなかった。勝った小山田備中守勢はやがて敵の新手のために後退するであろうし、敵の左の先手も小山田左兵衛尉をいったんは破るが、間もなく味方の新手のために敗退する筈である。

喊声は漸《ようや》く絶間なく平原の空気を震わし始めた。そして何千の馬のただならぬいななきが悲痛に響き渡っている。

いつか陽《ひ》は翳《かげ》っていた。陽が翳ると、海野平は暗い陰鬱《いんうつ》な風景であった。低い段落が波打っている平原は、一面に雑草に覆《おお》われ、そこを晩秋の風が吹いている。

ふうっと、勘助は大きく溜息《ためいき》を吐《つ》いた。

「上様！」

勘助は晴信に呼びかけた。晴信は返事をしないで合戦の場を見降ろしていたが、やがて勘助の方へ顔を向けた。

「勝ちも敗《ま》けもない合戦だな」

「そうでございます」

「いつ勝負がつく」

「人数の多い方が勝ちましょう。それだけ残ります」

「ふーむ」

「死者の多くなる合戦でございます。向うは六千、こちらは一万五千。――従って六千ずつ討死すれば、向うは失《な》くなり、味方は九千残ります」

その時、晴信はひどく暗い表情を取った。厭な合戦だと思ったのであろう。

「でございますが、景虎はそんなばかなことはしないと思います。一刻も早く引き揚げた方が得でございます。ごらんになっていて下さい。きっと敵は兵を引きます」

勘助がそう言い終るか終らないうちに、甲斐勢がまだ耳にしたことのない異様な法螺の音が、陰鬱な海野平一帯の地に響いて来た。これを聞くと、

「ごめん！」

晴信に会釈《えしやく》するや否《いな》や、勘助は馬に跨《また》がった。そして丘陵を駈け降り、合戦場の方角へと馬を走らせた。その間にも、法螺は、高く低く鳴り響いている。それは揚貝《あげがい》(引き揚げの貝)に違いなかった。勘助は越後勢が、いかに引き揚げるか、それを間近にわれとわが眼に収めておきたかったのである。これだけの乱戦の最中、狂った槍を振り廻し闘っている兵たちを、一兵残らず後退させることは容易なことではなかった。いかにして、それを行うか、勘助は見たかったのである。

勘助の馬が小さい台地に駈け上がった時、突然法螺は止《や》んだ。合戦の場までは更に一町ほどの距離があったが、勘助はそこで馬を停めた。たまたま高処《たかみ》に居たので、そこから見降ろす方が好都合であったのである。

その時、敵の陣営から騎馬武者二騎が、駈け出して来るのが見えた。はっとするほど見事な武者振りであった。

采配《さいはい》が二人の手で振られている。彼等は采配を振りながら、大きい曲線を描いて合戦場を半周すると、あとは本陣めがけて矢のような早さで、見る見るうちに姿を小さくして行く。

終始先きを駈けていた一騎は、総帥長尾景虎であろうと、勘助は思った。それに続く大兵の一騎は、おそらく豪勇をもって鳴り響いている武将宇佐美《うさみ》駿河守《するがのかみ》であろうか。

それ以外はあれほど見事に采配を振れる人物があろうとは思われぬ。

いつか、気付くと、武田の陣営からも引き揚げの法螺が響いている。晴信が命じて吹かせたものであろう。追い討ちをかけたいところを、それに耐えて引き揚げの法螺を吹かせたことは、これまた今までの晴信の性格からすれば、ちょっと考えられぬことである。

これでいいのだ。長尾景虎を討つのは他日を期すべきである。いま追い討ちをかけたところで、雑兵の百や二百は討つかも知れぬが、甲斐勢の騎馬長槍の追撃戦の妙を、徒《いたず》らに敵方に披露するだけのものである。

その時、つい先刻まで勘助の居た晴信の本陣から、何騎かの武者が駈け降りて来るのが見えた。いずれも、馬の背に身を伏せ、落馬しないように首にしがみついて、腰を浮かせている。馬は疾風のように、またたく間に丘陵を駈け降り、駈け降りたところで、各自めいめい馬首を四方に向けて散った。

その中の二騎が、やがて勘助の直ぐ横手を物凄《ものすご》い勢で駈け抜けて行った。二騎とも身を馬上に伏せているので、旗指物が前方に伏し、音をたてて風を切っている。二人ともむかでの旗指物である。追撃を固く禁ずる命令を、各部隊に伝える伝令に、むかで衆と呼ばれている一騎当千の若い武士の一団が使われているのであった。

勘助は、暫《しばら》くそこに立ちつくしていた。喊声はなお暫くは鳴り響いていたが、次第にそれは小さくなって行った。

いま、合戦は不思議な終り方をしようとしていた。陽は依然として翳っており、平原はどこに眼を当てても、暗い表情を見せていた。

晴信はこれから、長尾景虎を相手に、今までとは全く異った苦しい闘いを闘わねばならぬであろう。五年続くか、十年続くか？ いい勝負である。晴信は二十八歳、景虎（謙信）は十八歳、年齢の開きこそあれ、いずれ劣らぬ虎と虎である。併し、自分が居る限り、晴信は勝つであろう。長尾景虎は、やがてあの見事な采配の振り方を、再び誰にも見せなくなるであろう。ここ数年のうちに、武田は越後の若い武将の生命《いのち》を貰《もら》わねばならぬ。

勘助は、先刻とは違って、こんどはゆっくりと、馬を回して行った。

晴信と景虎の二つの勢力の最初の出遇《であ》いは、午《うま》の刻（正午）に始まり未《ひつじ》の刻（午後二時）に終る極めて短い合戦で幕を閉じた。この闘いで、越後勢の死者二百三十六人、味方の討死百三十一人、首帳を認《したた》め、勝鬨《かちどき》を執行したのは申《さる》の刻（午後四時）であった。

晴信は、軍が新戦場に新しく集結するまで、終始むっつりと黙っていた。初めての景虎との合戦が、この若い大将を多感にしているようであった。

武田勢はそれから二十三日まで海野平に宿営していた。越後勢の動静を探ってみるに、彼等は未だ本格的に越後へ引き揚げる様子は見せないで、川中島付近に屯《たむろ》していたからである。

海野平の合戦の翌日から、信濃の諸城砦《じょうさい》に留守を守らせていた武将たちより、それぞれ小戦闘の勝利の報告が、早馬をもって伝えられて来た。海野平の大合戦を機に、留守部隊は留守部隊で、各自の周辺の敵と闘いを交えたのである。勿論《もちろん》これは晴信の命令に依《よ》ってなされたものであった。

即ち、伊那の押えに差し置かれた秋山伯耆守《ほうきのかみ》晴近からは、伊那勢と闘って、馬武者十七騎、歩卒二十五人を討ち取り、三千貫の地を切り取ったとの報告があり、また木曾、小笠原の押えのために下諏訪、塩尻口にあった甘利、多田の二武将からは、夜討ちに依って小笠原勢九十三人を討ち取ったとの注進があった。それからまた、上杉勢の押えとして笛吹峠に置かれた小宮山、浅利の二武将からも飛脚をもって、上杉勢と松井田に闘い、首級三十三を得たことが報ぜられた。

こうした吉報が次々に陣営にもたらされた果に、二十三日の朝、古府から早馬が到着した。

　去る十九日の午の刻、御旗屋より出火したが、防火につとめたので、大事に至らず、建物の一部を焼いただけで消しとめることができた。――こういう別当山下伊勢守からの報告であった。そして、その報告に付け加えて、火事の最中にどこから飛んで来たのか、白い大鷹《おおたか》が二羽御旗屋の上に来て留まり、消火したあとも、三日三晩そこに留まっていたということが報ぜられてあった。

　晴信は、留守中古府の館が火災に遇《あ》いながらも大事に至らなかったのは、全く諏訪の石清水八幡宮《いわしみずはちまんぐう》の加護に依るものであり、おそらく白い大鷹はその化身であろうとし、部隊の将兵一同をして諏訪の方角に礼拝させた。

　この礼拝が終ってから、晴信は、馬術にたけている若い武士二人を招《よ》んで、古府の館を見舞わせた。二人の武士は晴信からの書状を一通ずつ持って、即刻、甲斐へ向って海野平を出発した。

　勘助はこの時、何かしら烈《はげ》しい胸騒ぎを覚えた。なんの胸騒ぎか判らなかった。二人の若い武士が晴信の前を退出して暫く経《た》ってから、勘助は、はっとしたように、顔を上げて晴信を見た。

　古府の館へ見舞いの使者を出すのは怪しむに足らぬが、それならなぜ二人の使者に渡した二通の書状が必要であったろうかと思った。何かそこに不自然な作為のあるのを感じた。

勘助はさりげなく、晴信の前を退出するや、彼も亦《また》馬に跨がった。そして古府へ向けて出発した二人の武士のあとを追った。

馬を半刻近く駈けさせた時、街道の行先を走っている二人の武士の小さい姿が眼にはいって来た。

「おーい」

勘助は声をふりしぼって、二人の武士を呼びとめながら馬を馳せた。

やがて二頭の馬がぴたりと停まるのを、勘助は見た。彼が近づいて行くと、二人の武士は地上に降り立っていた。

「上様お渡しの御書面をこれに出すよう」

勘助は言った。

「は」二人は体に巻きつけていた書状を、少しも疑うことなく、勘助の前へ差し出した。

「山下伊勢守へ渡すのだな」

「は」

「しかと間違わぬように」

そう言いながら、勘助は立ったまま、その書状に眼を当てた。一つは正室宛《あて》の書状であったが、他は違っていた。それには「油川どの」と認《したた》められてある。

やっぱりそうだったかと思った。晴信は油川刑部守の息女を、会ったことも見たこともないと言いながら、ちゃんと知っているのである。勘助は少し青い顔をして、書状を彼等に返すと、

「上様の御懸念になるようなことはなかった。気をつけて行くよう」

そう威厳をつくって二人に言った。

二人の武士は勘助に一礼すると、直ぐまた馬上の人となった。武士たちの馬蹄《ばてい》の響きが聞えなくなると、勘助は、自分が、腰を埋めるほどの薄《すすき》の穂に包まれているのに気付いた。

右手は山、左手は勘助の立っているあたりからゆるやかな傾斜をなして谷へ落ち込んでいる。風は谷の方から吹き上げて来て、薄の穂を揺り動かしている。やはり、可《か》哀《わい》そうではあるが、今のうちに、誰にも判らないように斬《き》るべきだ、と勘助は思った。油川刑部守の息女の命は、勘助が貰おう。そして晴信は今後一切女人に近づかぬように監視しなければならぬ。それにしても、晴信はいつどこで、油川の息女を見たの

であろうか。油断も隙《すき》もならぬといった気持だった。合戦も巧者であったが、巧者なのは合戦ばかりではない。勘助は、小室に布陣した日、虫も殺さぬ顔で、自分を欺《あざむ》いた晴信の顔を改めて思い浮かべていた。それにしてもあの息女を亡《な》き者にするのはどうすればいいか。

勘助は馬のくつわを取ったまま、薄の原を歩き出した。合戦よりこの方がよほど難しい気持だった。あの時、油川刑部守の息女のことを、自分が口に出したことは不味《まず》かった。斬れば、自分が斬ったことはたちどころに露見する。幾ら巧妙に斬っても、疑いは自分にかかるだろう。勘助は今までのいかなる合戦の時より、今の方がずっと真剣だった。

その翌日、越後勢は川中島の営を払って越後へと引き揚げつつあるという報告がはいった。そこで晴信は部隊を古府に帰すことに決定した。海野平の合戦は、結局は小戦闘の域を出なかったが、併《しか》しその影響は大きかった。仁科《にしな》、海野、浦野を初めとする北信の諸豪族は、これまで叛服《はんぷく》常ならぬ状態であったが、尽《ことごと》く人質を出して、初めて本格的に晴信に降《くだ》ることになった。

晴信は二十五日、令を発して、古府に向った。

勘助は晴信と共に、本営に身を置いて、凱旋《がいせん》の途に就いた。一万六千の部隊は長い隊列となって初冬の信濃の山野を南に下った。

勘助は板垣勢を率いて諏訪に向うので、途中で晴信と別れなければならなかった。行軍三日目であった。

「いずれ、近いうちに、古府の館に罷《まか》り出ます」

勘助が挨拶《あいさつ》すると、

「楽しみにしている。今度会った時は長尾景虎の武略について、その方の考えを仔細《しさい》に聞きたいものだな」

晴信は言った。晴信は上機嫌《じょうきげん》であった。

勘助は諏訪へ向う板垣勢と共に、山岳地帯で、甲斐に向う主力と別れた。別れて半刻《とき》ほど経つと、勘助は板垣信里に、大切な用事を忘れていたので、これから本隊を追いかけねばならぬと言った。

「何人か兵をつけましょう」

信里は言ったが、

「いいや、一人の方がいいと思います。それより諏訪へ行ったら姫さまに気を付けて上げて戴《いただ》きたい」

そう言い残すと、勘助は直ぐ諏訪勢の隊列から離れた。茶褐色《ちゃかっしょく》に枯れたくぬぎの葉が、かさかさと風に鳴っている小さい雑木山の麓《ふもと》であった。一人になると、勘助は身につけている重いものを尽く、その雑木の繁《しげ》みの中へ棄《す》てた。いっきに馬を走らせて、古府に向わねばならぬ。晴信の本隊が古府に到着するより、少なくともまる一日は早く古府の城下へはいらねばならぬ。言うまでもなく、油川刑部守の息女の生命を断つためである。

勘助は街道を避けて馬を走らせた。重なり合って続いている小山の麓の道である。勘助はその日の夕方まで一人の人間にも会わなかった。落葉を蹴《け》って、馬を疾駆させ続けた。大きい傾斜をなして、大地が南へ傾いている高原にさしかかった時、冬の夕《ゆう》闇《やみ》が勘助を呑《の》み込もうとしていた。

勘助は馬を走らせながら、自分の馬蹄の響きとは違った馬蹄の響きが、遠くから響いて来るのを聞いた。勘助は馬を降りると、馬体を盾に取って、身を匿《かく》した。やがて、三騎の武士が疾風のように、勘助と一間とは離れぬところを、まるで勘助の馬とすれすれに駈け抜けて行くのを見た。真中の一騎に見覚えがあった。特殊な騎乗の姿であった。馬の首の右方に、自分の顔をぴったりとくっつけている。

晴信以外に、あんな乗り方をする人間はない筈である。晴信に違いなかった。併し、一万六千の部隊の総帥《そうすい》が、部隊を離れて、単独行動を取るということは考えられぬことであった。そんなことがあっていいものか! が、今の騎馬武者は確かに晴信である。晴信も亦部隊に先行して、古府の城下にはいろうとしている！　若い武将は自分の行動を既に察知しているのかも知れないと、勘助は思った。勘助は暫く考えていたが、別な道を取ろうと思った。是が非でも、今見た三騎より先きに、古府へはいらねばならぬ。そうしない限り、晴信は油川刑部守の息女を、もう二度と勘助の眼の届かないところに匿してしまうであろうと思う。

晴信はどんな事でもやりかねない。勘助がこの世に生を享《う》けて初めて、その人のために生命を投げ出しても惜しくないと思った人物であったが、併しまたそれだけに厄《やっ》介《かい》な人物でもあった。勘助はまた馬に跨がった。その時気付いたのだが、まだ生き残っている秋虫の声が広い野を一面に埋めていた。

八　章

勘助が昼夜兼行で馬を駈《か》けさせ、古府《こふ》の城下へはいったのは暁方《あけがた》だった。城下はまだ寝静まっている。

商家の立ち並んでいる下町を通り抜け、武家の屋敷町にはいる。武家屋敷町の中央を一本広い通りが、ゆるやかな傾斜をなして走っている。その突き当りにあるのが、武田氏代々の居館である。

勘助は館《やかた》の濠《ほり》に沿って、道を左手へ取り、そのまま館の裏の山手へと馬を走らせて行った。丘陵の上から暁方の冷い風が真向いに吹きつけて来る。道が次第に急坂になると、馬は目立って速力を弱めた。喘《あえ》ぎ喘ぎ脚を運んでいる。考えれば無理もなかった。ろくに食物も与えず、信濃《しなの》から甲斐《かい》へと走りづめに走らせていた。

勘助は山頂に砦《とりで》を持つ要害山の麓へ出て、それからそのまま急坂の道を登って行った。この山の中腹の、鬱蒼《うっそう》たる雑木の間に、こっそりと匿されるようにして、積翠寺《せきすいじ》という小さい寺がある。勘助は油川刑部守《ゆかわぎょうぶのかみ》の息女がかくまわれている場所は、おそらくその付近ではないかと思った。晴信は朝夕馬をこの丘陵一帯の地に走らせる。少年時代からの慣《なら》わしである。この方面なら晴信が何時《いつ》馬を走らせても怪しむものはない。それに城下町とは反対側なので、夜、居館を脱《ぬ》け出しても、めったに人眼につくことはない。勘助は積翠寺の境内に、おそらく新しい普請《ふしん》ができ上がっているであろうと思った。その普請ができ上がったので、晴信は信濃からあの美しい姫を招《よ》びよせたものと思われる。

この勘助の予想は当っていた。積翠寺の山門から入らず、その前を通り抜けて、更に上に登って行くと、寺の裏口といった恰好《かっこう》で、真新しい門ができていた。勘助は二、三回この辺へ来たことがあるが、この前まではこんな門はなかった筈である。何も今更、こんな場所にこんな門をつける必要はないのである。

勘助はそこで馬を降りた。川瀬の音が聞えている。勘助は馬をひいて、積翠寺とは反対側の雑木林にはいり、川瀬の音のする方へ降りて行った。川幅は狭いが、急斜面を流れ降《くだ》る奔流が岩を嚙《か》んでいる。相川の上流である。勘助はそこで、充分に馬に水を与え、それから川の岸の一本の立木に馬を繫《つな》いだ。

まだあたりは仄暗《ほのぐら》い。

勘助は再び積翠寺の裏門へ引き返すと、その門を押してみた。内部から固く閂《かんぬき》は戸締りされている。仕方ないので、その門の直ぐ右手の土塀《どべい》に手をかけて、それを乗り越した。そして跫音《あしおと》を忍ばせて境内へ踏み込んで行くと、寺の庫裡《くり》と廊下でつながった別棟の離れの前へ出た。

勘助はぐるりと、その離れの周囲をひと廻《まわ》りした。そして小さい玄関がついているが、そこは避けて、その家の住人の居間と思われる南側の部屋の濡縁《ぬれえん》の前に立った。

勘助は、軽く戸を二つ敲《たた》いて、低い声で、

「姫さま」

と呼んだ。内部からは返事がなかった。彼はまた戸を軽く二つ敲いた。

「姫さま」

すると、内部では誰《だれ》かが起き上がった気配である。衣擦《きぬず》れの音がしている。と、暫《しばら》くしてから、

「爺《じい》や？」

と、澄んだ声が聞えた。勘助は返事をしなかった。

「爺や？」それと一緒にするすると内側から戸が開いた。

「わたくしでございます」

勘助は地面に跪《ひざまず》いて言った。

「あ!?」と微《かす》かな叫びを上げると、女は、

「わたし、また爺やかと思いました。うかつなこと！」

勘助は顔を上げて、女の顔を見た。間違いなく油川刑部守の息女である。暁方の外気が冷いのか、上に羽織った衣服の両端を胸のところで合わせて、それを華奢《きやしや》な白い手が押えている。ふくよかな下ぶくれの顔である。黒い瞳《ひとみ》が大きい。

「わたくしでございます」

勘助はまた言った。

「わたくしと申しても、わたしは貴方《あなた》を存じません。上様のお使いですか」

「急ぎの御連絡がありまして」

「そう。それは御苦労なこと。いま誰か起しましょう。寒いから向うから内部《なか》へおはいりなさい」

勘助は抜き打ちに斬《き》ろうと思っていた。斬れば斬れる隙《すき》は幾らでもある。併《しか》し、斬れなかった。相手が全く人を疑うということを知らなかったからである。莫迦《ばか》ではないかと思うほどおおどかであった。

「いや、ここでお話いたしましょう。お人は起さないで戴《いただ》きます」

勘助は押し殺した声で言った。

「では、起さないことに致しましょう」

姫は言った。勘助は刀の柄《つか》の方に、手を這《は》わせて行った。その時、突然、嬰児《えいじ》の泣き声がした。

「姫が眼を覚ましたようです。虫でも起っているのか、昨夜一晩泣いて――」

「は？」

勘助はびっくりした。子供が生れていようとは夢にも思っていなかった。

「いつ、お生れになりました?」

勘助は訊《き》いてみた。

「いま泣いているのは上の子です」

「え!?」

勘助はまた自分の耳を疑った。

「上の方とおっしゃいますと、姫さまは――」

「上の方は去年の春、下の方はこの夏生れました。ですから春姫と夏姫」

勘助は、いま自分の眼の前に立っている姫が、二人の子供の母親とはどうしても考えられなかった。

「しかと姫さまのお子さまでございましょうな」

勘助は変梃《へんてこ》な質問をした。

「おほほほ」

また玉を転がすような笑い声が起って、

「おかしいこと言うじいや」

いつか、勘助はじいやにされていた。あたりはまだ薄暗かったので、勘助の顔ははっきりとは相手には見えない筈であった。だから相手は、なんとなく勘助の言葉遣いや物腰から、彼が老人であることを嗅《か》ぎ取ったのに違いなかった。

「寒いから戸を閉めたいんです。じいや、向うへ廻って下さい。お腹《なか》の稚児《わこ》に障ります」

この言葉で、勘助は三度びっくりした。

「お、お腹の稚児!?」

「こんどは、男子を生まなければなりませぬ。大切な体です」

「は、では、向うから廻って、内部へ入れて戴きましょう」

すっかり灰汁《あく》を抜かれて、勘助はげっそりしていた。殺意の持って行き場がなかった。

それにしても、晴信はなんということをするのであろうか。油川の息女に二人の女児を持たせ、なお現在身ごもらせている。この勘助にも、由布《ゆぶ》姫にも匿して、こんな大きい秘密を持っている。

勘助は玄関の前で暫く待たせられ、それから侍女に案内されて内部へ通された。玄関の板の間に勘助は坐った。やがて、姫は次の間に現れると、そこに勘助と対《むか》い合うようにして坐った。

「まあ、その顔をどうしました？」

姫は、勘助の顔を初めて灯火の光りのもとで見て、驚いて、ぶしつけに言った。

「痛みますか？」

「痛くはありませぬ。傷も負っていますが、それは癒《なお》っております。大体、この顔は生れつきでございます」

「生れつき？　まあ、可哀《かわい》そうに！」

姫はきゅうっと眉《まゆ》をひそめた。

「そんな顔で生れつくなんて」

「姫さまは美しくお生れになり、わたくしはこのように醜く生れました」

勘助は静かな気持で、静かに言った。何を言われても、彼はふしぎにこの姫の言葉が心に逆らわないのを感じた。美しい花弁で打たれてでもいるように、少しも痛みというもののない打擲《ちょうちゃく》だった。

「姫さま！」

勘助は醜いと言われた顔をきっと上げて、

「暫くお人払いを願います」

と言った。その言葉で、

「みな、暫くの間、戸外へ出て下さい」

姫は次の間の方へ声をかけた。この場合も、姫は、人を疑うことを全く知らない性格をむき出しにしていた。

二人の若い女中が、部屋を出て行こうとした時、

「戸を開け、襖《ふすま》も開け放って戴きましょう」

勘助は言った。

戸を開けた縁側から、暁方の白い光りが部屋に漂い流れて来ている。障子もうっすらと白くなっている。勘助は三部屋程の家の内部に、誰一人匿れている者のないのを確かめると、おもむろに姫に向って、口を開いた。

「先程、お腹の中に、稚児がはいっておいでだとおっしゃいましたな、若様が欲しゅうございますか」

「上の二人が姫ですから、こんどは若であってくれましたら——」

「若様がお生れになったら御苦労なさいましょう」

「なぜです」

「御本妻三条さまの方に、義信、竜宝のお二方さまが居られます」

「存じて居ります。でも——」

ちょっと、この時、姫は顔を上げて、言い澱《よど》んでいたが、

「わたくしは、強い子供を生みます。武田のお家を背負って立つような——」

「なるほど」

「上様も、一人だけ強い子供がほしいとおっしゃっておりました」

「併し、すでにもう強いお方は一人居られます」

ぶっつけるように勘助は言った。

「由布姫さまのことをご存じですか」

「いいえ」

明らかに烈《はげ》しい衝撃が彼女を襲っていた。

「由布姫さまという方は、それこそ日本一の強い武将になられる勝頼様という若様をお生みになって居られます」

「そんな！」

そんな莫迦なことがあって堪《た》まるかといった表情だった。

「由布姫さまとは、一体どなたです」

「諏訪様の御息女です」

勘助は残酷ではあったが、この際何もかもぶちまけようと思った。

「現在、諏訪の観音院に住まって居られます。御存じないのは、姫さまお一人かも知れません」

「まあ」

それから姫は、全く血の気を失った顔で言った。

「わたくしより美しい方ですか」

そう言われると、勘助は困った。

「お二人のどちらが美しいとも申し上げられませぬ。お二人ともお美しい」

「そんな美しい方ですか。上様はわたしがこの世で一番美しいと申されましたが」

「姫さまもお美しい。併し、由布姫さまもお美しくいらせられます」

姫の体が前に折れるなと思ったら、姫はいきなりその場に俯伏《うつぶ》した。肩が大きく波打っている。

「姫さまは、上様をお恨《うら》みになりますか」

勘助が言うと、俯伏したまま、大きくかむりは横に振られた。嗚咽《おえつ》は聞えなかった。

「どうして上様をお恨みになりませぬ？」

すると、姫は体を起した。痴呆《ちほう》のような空虚な表情だった。

「わたしの方が、上様を好きなのです」

「いくら好きだとおっしゃっても」

「いいえ、好きなのは私の方でございます。御正室の三条さまのおありのことは承知でございました。お家の悶着《もんちゃく》を起すこととは知りながら、わたくしは上様のお子さまがほしゅうございました。いまのお話は、私の知らないお方が、もう一人別にあっただけのこと！　わたしの知らない何事があっても、わたしは耐えて行かなければなりませぬ。みんな、わたしの方がいけないのです。でも、これから、さぞ苦しかったり、悲しかったりすることでございましょう」

ふくよかな美しい顔が、暁方の白い光りの中に、能面のような無表情さで置かれてあった。

「わたくしが何のために、今朝、ここへ出向きましたか、御存じでしょうか」

勘助が言うと、

「存じませぬ。でも、何か、厭《いや》な怖い気がしました」

「本当はお命を頂戴《ちょうだい》に参りました」

驚くかと思ったら、姫はさほど驚かなかった。

「何か、そんな気がいたしました」

「それなら、なぜ御用心なさらぬのです？」

「若《も》し、上様がそうお考えなら、わたしは生命を差し上げてもいいと思っていたのです」

姫は言った。女というものは、ふしぎな気持になるものだと、勘助は思った。そうした自己犠牲的な気持は、勘助には夢にも想像できぬものだった。

「上様は御存じありませぬ。わたしは自分の一存で姫さまのお命を戴こうと思いました」

「では、なぜ、斬りませぬ」

この時だけ、姫の言葉は烈しかった。美しい眼は射るように、真直《まっす》ぐに勘助の顔に当てられた。

「お二人の姫さまも、お腹の中の稚児様も、みな武田家のために大切なお方になると思ったからです。由布姫さまのお子様である勝頼様のよい妹御さまや弟御さまになられましょう」

「それは判《わか》りませぬ。お家の安泰のさまたげにならないとも——」

「いいえ、姫様がお育てになるお子様であれば、みな武田家の宝になられます。きっとそうなられます」

それから勘助は言った。

「私は山本勘助と申します者」

「存じております。さっき、このお部屋に通られた時、多分そうだろうと思いました」

「これから、姫さまのお力にならせて戴きたいと思います。二人の姫さまも、こんどお生れになる稚児様も、勘助生命にかけてお守りいたします。お辛いことや悲しいことは、武田のお家のために忍ばねばなりませぬ。ただ、由布姫さまのお子さまの勝頼様の方が、一年だけ先きにお生れになっていますので、姫さまのお子さま方よりお兄さまであることだけは認めて戴かなければなりませぬ」

「――」

「それさえ御得心戴ければ、勘助命にかけて――」

姫は黙っていた。が、暫くしてから、

「お頼みします」

小さい声で言って、姫は軽く頭を下げた。

「ただ、今日、勘助がここへ参りましたことは、当分の間、上様のお耳にはいれて戴きたくないのです」

「承知いたしました」

「それから、もう一つお願いがございます。どうか、上様の――」

寝首を掻《か》くなと言いたかったが、この姫にはその心配はないようであった。

「上様をお恨みになるようなことのないように――。上様は、どうもあのお体がいけませぬ。これについては勘助も考えて居ります」

「上様をお恨みするなんて――」

悲しげだが、恨みとは遠い相手の顔だった。

「失礼でございますが、姫さまは何というお名前でございましょう？」

「於琴《おこと》」

短く姫は言った。

「於琴姫、美しいお名前でございまする」

勘助は半刻ほど積翠寺の離れにいて、それから於琴姫の隠れ家を辞した。

帰路は、勘助は馬を走らせなかった。於琴姫は、口ではあのように言っていたが、やはり女だから、これからは大変だなと思った。併し、もっと大変なのは由布姫の方である。若しこのことを知ったら、気性の烈しい由布姫は、晴信も於琴姫も生かしておかないだろうと思う。だが、いつかは判ることである。その時、なるべく衝撃の強くないように、時期を見て、なんとかうまく、由布姫に知らせておいた方がいいだろう。

勘助はいつか、由布姫と於琴姫の二人を、正室三条氏の勢力から守り通さなければならぬ立場に立たされているのであった。併し、勘助の心はさして暗くはなかった。勝頼の本当の力になるように、於琴姫の子供たちを育てて行けば、これはこれで決して勝頼にとって悲しむべきことではなかった。

勘助は城下を外れたところの一軒の農家で、腹ごしらえをすると、再び往路と同じように、馬を駈けさせた。

古府から三里を休みなしにかけて、韮崎《にらさき》の部落へはいり、そこを抜けた時、遠く釜《かま》無川《なしがわ》の広い磧《かわら》に三頭の馬が休んでいるのを見た。騎乗者の姿はどこにも見えなかった。食事でも摂《と》りに、どこかへ行っているのかも知れなかった。勘助は、その磧とは反対の方向へ馬を走らせた。道は大きく迂《う》回《かい》になるが、晴信とここで顔を合わせたくなかった。晴信とは最も効果的な出会いをして、いっきに彼から女色を取り上げなければならなかった。

韮崎から高島城までは十三里の道のりである。その間を、勘助はまた殆《ほとん》ど休みなしに駈けた。由布姫にも会いたかったし、勝頼にも会いたかった。そしてまた、海野平から帰還した高島城の将兵を、そのまま武装を解かせず、高遠《たかとお》地方へ差し向けて、その地一帯を武田の領地にしなければならなかった。

そして高遠の城を取ったら、そこへ由布姫と勝頼を置こうと思った。

天文《てんぶん》十七年の秋から十八年の前半にかけて、小規模の合戦が多かった。越後の景虎と再度の対陣あるまでに、後顧の憂《うれ》いのないように、信州一帯から反武田の勢力を一掃しておかなければならなかった。勘助は伊那、木曾、松本と各地の小戦闘に従軍し、徐々にこの地方の晴信の勢力を揺《ゆる》ぎのないものにして行った。

八月の初め、勘助は久しぶりで、軍装を解いた生活を何日か持った。この間に、由布姫からの使者が勘助のもとへ来て、至急に観音院まで来てくれるようにということであった。三カ月程、勘助は由布姫に会っていなかった。勘助は直ぐ馬を飛ばして、由布姫の館《やかた》へ伺候《しこう》した。

観音院の入口を一歩はいった時、何となく家の内部の空気の違うことが、勘助には感じられた。勘助は由布姫の居間の隣室まで行って、そこに坐ると、

「姫さま」

と声をかけた。

「はいって下さい」

勘助は言われて、襖を開けた。由布姫は床を背にして、少し蒼《あお》い顔をして坐っていた。由布姫は勘助の顔を見ると、いきなり言った。

「勘助、わたしの顔がまともに見られますか？」

声が震えていた。

「え？」勘助は思わず顔を伏せた。於琴姫のこと以外、自分は由布姫に対して、何の秘密も持っていない。併《しか》し、於琴姫のことは、めったに由布姫の耳にはいろう筈《はず》のものではないと思った。由布姫はおろか、武田の宿臣老将たちでも、於琴姫について知っている者は、極く僅《わず》かであろう。

「眼をまっすぐに見られますか。さ、勘助、はっきり返事をおし」

勘助は返事はしないで、黙ったまま、まっすぐに由布姫の顔を見詰めた。

「見ているのか、見ていないのか、勘助の顔では判りませぬ」

意地悪く言って、

「古府で、於琴という側室が、一カ月ほど前、男児を生んだことを知っておりますか」

それは勘助には初耳だった。於琴の出産のことは気になっていたが、勘助は合戦合のですか。出産のことを初めて耳にしたというのである。

「存じませぬ」

「存ぜぬというのはどういう意味ですか。出産のことを初めて耳にしたというのです

か」

「そうでございます」

「では訊《たず》ねますが、於琴が出産するということも知らなかったのですか。さ、はっき

りお言い！　少しでも偽りがあったら、勘助、許しませぬ」

「――――」

「於琴という女を知っておりましたか」

於琴姫の名が出た以上、もう匿《かく》しても駄目《だめ》だと思った。それにしても、そのことが

どこから洩《も》れたか不思議でもあり、不気味であった。

「於琴姫にはお会いしたことがあります」

思いきって勘助は言った。

「どうしてそれをわたしに匿していましたか？」

「――――」

「言えませんか」

「それより、だれが、そのことを姫さまのお耳に入れました？」

「上様です」

はっとして勘助は息を呑《の》んだ。

「上様がそのようなことを——」

「おっしゃらぬと言うのですか」

由布姫は顔の表情一つ動かさなかった。そして口許《くちもと》に軽い冷笑を浮かべて、

「わたしが上様に口を割らしたのです。丁度今、そなたを問いつめていると同じようにして」

勘助は黙っていた。うっかりと物が言えなかった。

「上様の方が正直です。そなたが積翠寺の隠れ家に出掛けて行ったこともお話しになりました」

「ふーむ」

勘助は一つ唸《うな》った。

「上様がよもや御存じとは！」

「そんなこと、わたしは知りません」

「どうして、姫さまは、於琴姫のことをお知りになりました？」

感じた。

「それを知りたいの？」

ふいに、由布姫の体が勘助の眼の前に、大きくかぶさって来た。勘助はそんな風に感じた。

「勘助など夢にも思わぬこと。——香の匂《にお》いです。古府の御料人様（正室三条氏のこと）は、香がお嫌《きら》いと聞いています。それなのに、時々強い香の匂いが——」

「ほう」

勘助は驚いた。

「人を古府に遣わして、その香の所在をつきとめたまでのこと」

由布姫の顔が、この時ほど、勘助に怖《おそ》ろしく見えたことはなかった。

「勘助！」

「は」

「お願いがあります。於琴姫とやらをここへ連れて来て下さい」

「連れて来たら、どうなさいます？」

「それはまだ考えて居りませぬ。その時のことに致します。兎《と》に角《かく》連れて来て貰いたい」

勘助はまた長い間黙っていた。

「若し、そなたが、このわたしの命令をきかぬならば、わたしは、それを自分でやります」

実際、由布姫なら、それを自分でやるだろうと思った。どんなことをしても、由布姫ならそれをやり遂げるに違いない。

「承知いたしました。お連れいたしましょう」

勘助は答えた。

「いつ、連れて来ます？」

「さあ」

「一カ月と日を限ります」

ぴしゃりと由布姫は言った。

「承知いたしました」

勘助はまたそう返事をした。

彼はその日観音院を辞すと、高島城に一泊し、翌朝晴信に会うために古府へ向けて出発した。事ここに到《いた》れば、一切の事件の責任者である晴信と相談して事を運ぶ以外方法はない。そしてこれを機会に晴信にも女色を断って貰わねばならぬ。

古府に到着するや、勘助は直ちに館に出向いて、晴信の前に出た。

晴信はいつになくにこにこしていた。

「わたしが、何を申し上げに来ましたか、御存じでございますか？」

勘助は少し気難しい顔で言った。

「景虎との一戦の時期のことであろう」

「どういたしまして」

「では、なんじゃ」

「御自分でお考えになりましたらお判りでございましょう。こうなりましたのも、みなお身から出たこと」

「わからぬな」

「由布姫さまと於琴姫さまの問題でございます」

「判ったか！」

驚いたように言って、それから晴信は急に困惑の表情を取った。

「それはいかぬな」

「おとぼけになっては、勘助が困ります」

「余は何も知らぬ。どうして判ったか。それは困るな」

晴信は言った。

「御自分でお喋《しやべ》りになっては策の施しようがございません。お蔭《かげ》で、勘助、ひどく由布姫さまにやられました」

「いいや、それは何かの間違いではないか。晴信は由布姫には何も言わぬ」

「でも、姫さまがお問い詰めになったら、上様は何もかもお話しになったそうではございませぬか」

「莫迦《ばか》な！」

そう言った晴信の顔には、みじんも虚偽を言っている暗い影もなければ、黒を白と言う強引な押しも感じられなかった。

「勘助、かまをかけられたな」

「そうは思われませぬが」

勘助は何となく自分に頼りないものを感じて来た。

「上様は、本当に、由布姫さまにお話しになりませぬか」

「言っていいことと悪いことがある。余はそのくらいのことは心得ているつもりだ」

「それはいけませぬ」

思わず勘助は言った。

「わたしが、於琴姫さまのところへ参りましたことまで御存じでしたので――」

「行ったのか」

「は」

「いつ、何しに行った?」

「本当に御存じありませぬか」

「知らぬ」

「それは困りましたな」

「困ったのは、余の方だ」

「於琴姫さまをお連れせよとの厳しい御命令で——」

「そんなことは、そちと由布姫との間のこと。まき添えになるのはごめんだな」

それから晴信は大きく笑うと、

「余が於琴を信濃の油川家へ帰してしまったと、由布姫に報《しら》せれば、それでよくはないか」

また晴信は笑った。どこまでが本当で、どこまでが嘘《うそ》か、勘助にはちょっと判断できぬところがあったが、さしずめ今の場合、晴信の言葉を信ずるほかはなかった。

「そうすれば、勘助の急場も救われるというものだ。そう言って構わない」

何となく、いつか、勘助は晴信に急場を救われた形になった。於琴姫のことも一応問い詰めて、今後のことがあるので、晴信に一札入れさせるつもりでやって来たのだが、それどころではなかった。

「於琴姫を信濃へ送り返すことになると、三人の子供たちは、勘助に預けねばならぬ。勘助以外誰も知らぬからな。頼む」

「は」

「明日、三人を連れて出発するよう」

その日は狐《きつね》につままれたような気持で、勘助は館を辞した。

翌日、再び城内に伺候すると、城門のところで彼を三梃《ちょう》の輿《こし》が待っていた。二人の幼い姫と、生れたばかりの嬰児《えいじ》が一人、三人の侍女に抱かれて輿に乗っていた。勘助は、その輿を警固する二十人の武士たちと一緒に出発した。真夏の太陽がじりじりと照りつけている。勘助は曾《かつ》て、由布姫を乗せた輿を護衛して諏訪に下ったが、今また三人の異腹の子供たちを護衛して諏訪へ下りつつあった。

考えてみると、何のために、古府へ出掛けたか判らなかった。一言の意見もしないで、晴信の情事の後始末をさせられてしまったことになる。男女間のことになると、すうっと勘助はさっぱり見当がつかなかった。城取りとか合戦ということになると、すうっと眼の前の霧が霽《は》れて行くように何もかもはっきりと眼に見えて来るのだが、男女間のことだけは、勘助には皆目先きが見えなかった。

兎も角四つ城を取らねばならぬな、と勘助は思った。諏訪を勝頼に、いま輿に揺られている嬰児には高遠の城を、いやその反対にすべきかも知れない。そして二人の姫たちにも、それ相応の城を分配しなければならぬ。これから忙しくなるな。勘助がそんなことを考えている時、馬蹄の音を高くあたりに響かせて、早馬が背後から一騎、勘助たちの一団を追い越して行った。暫くすると、また一騎。

三騎目の早馬が駈け抜けようとした時、勘助は馬を走らせて、早馬にぴたりと馬体をつけて、一緒に駈けながら、声をかけた。

「何事だ?」

「長尾景虎が北信を侵そうとしています。御屋形様は今夜古府を御進発でございます」

「よし、行け」

勘助は言うと、馬の速度を落した。早馬の馬体が水でもかぶったように、汗に濡れ光っている。そしてそれは見る見る間に遠くへ小さくなって行った。

ぶるぶると勘助は体を震わせた。併し、大合戦にはなるまい、と勘助は思った。景虎の軍勢は夏季の戦闘に弱いからである。一瞬前とは打って変って、勘助の頭は冴《さ》え返っていた。

九章

天文《てんぶん》十八年から十九年にかけて、武田勢は、軍馬を休ませる暇がないほど合戦の明け暮れを迎え送っていた。長尾景虎とも数回、北信の地に対峙《たいじ》した。が、いつも大戦闘にはならなかった。大抵の場合、機を見て、景虎は軍を収めた。その軍の引き方は、見ていても小憎らしいほどあざやかであった。

十八年、海野平で両軍が対峙した時は、景虎から使者が来て、晴信宛《あ》ての書信を持って来た。

——自分が越後から遠征して、北信の地に軍を入れるのは、全く領土的野心から出ることではない。村上義清に頼まれて、武の一道を守って、義戦を挑《いど》むだけのことである。若《も》し、貴殿が、北信から追い払った村上義清を迎えて、本地に還住させると言うのであれば、再び自分は北信の地を侵さないであろう。

こう言う書面であった。

これに対して、晴信は誰に相談することもなく、直ぐ筆を取った。

——村上義清を北信の地に迎え入れることは、晴信の生命《いのち》ある限りは、思いも寄らぬことである。御申し越しのことは拒絶する。合戦を始めようと思うなら、いつでもお相手する。

晴信はこの返信を認《したた》めると、勘助一人を招《よ》んで、これを彼に示した。すると、勘助は、

「これで結構でございます。ただ、〝合戦を始めようと思うなら〟の次に、〝貴殿より合戦を仕掛けて来て戴《いただ》きたい〟という一行を書き加えて戴き度《と》うございます」

と言った。

「どうしてであるか」

晴信は訊《き》いた。多少不服そうであった。

「なるべく、今のところ、景虎を刺戟《しげき》しない方がよろしゅうございます。こちらには積極的な合戦の意志のないことを、繰返し繰返し、先方へ強調すべきでございましょう」

「景虎と闘う力がないと言うのか」

「決してそうではございません。現在でも、景虎を破る力はあると思います。併《しか》し、

彼を破った時は、武田家の武将の大方は討死していることでございましょう。あとが怖《こお》うございます。いまのところは、なるべく景虎とは事を構えず、信濃一帯を確保し、木曾を手中に収め、後顧の憂《うれ》いが全くないようにしてから、その上で、景虎と無二の一戦を試みるべきでございましょう」

「そうした時期はいつ来るかな」

「判《わか》りませぬ」

するると、晴信は笑った。

「勘助はいつまでも生きるつもりか」

「わたくしでございますか」

勘助はいつか五十八歳になっている。晴信のもとに仕えるようになってから、すでに戦塵《せんじん》の中に七年の歳月を送っていた。

「わたくしは、三つのことをしない限りは死にませぬ」

「三つの事と言うと――」

「一つは、長尾景虎との、決定的な一戦でございます。景虎の首級を、わたくしの手で上様の御前に持参致したいと思っています。いつその合戦の時期が来るか、それが待ち遠しゅうございます」

「それから、二つめは何だ」

「二つめでございますか。諏訪の若殿様の御初陣《ういじん》でございます」

この時だけ、勘助は声を低めて言った。差し障りのある言葉だったからであった。諏訪の若殿というのは、言うまでもなく勝頼のことであった。

「ふむ」

これについては、晴信は何も言わなかった。ただ、ちょっと遠い眼をしてみせた。

「第三は？」

「三つめでございますか。それは申し上げにくうございますな」

すると、晴信は笑い出した。

「判っている。大体察しがついている。もう二、三年待て！」

「二、三年とは長うございますな。もう少し、早いところ御決心が必要でございます」

その三つめのことというのは、晴信が法体《ほったい》になるということであった。会う度に、勘助はこの事を晴信に強要していた。自分も頭を剃《そ》るから、晴信にも剃髪《ていはつ》しろというのであった。

これは、晴信にとっては、割の合わぬ取り引きであった。五十八歳の勘助が剃髪するのと、三十歳を越えた許《ばか》りの晴信が剃髪するのでは、全くその意味が違っていた。この法体問題に関してだけは、晴信も言を左右にして、なかなか勘助の言うことをきかなかった。併し、これを無下《むげ》に退けることもできなかった。由布姫と於琴姫の二人の女性と四人の子供の世話をさせ、表面風波の立たないように、取り鎮《しず》めさせていたからである。

併し、勘助は三つのことをしない限りは死なないと言ったが、実はもう一つ、彼がそれを見ないうちは死ねないことがあった。これは、勿論《もちろん》誰にも洩《も》らしたことはない。また洩らすべき性質のものではなかった。

それは嫡子《ちゃくし》義信を廃嫡にすることであった。

義信が武田家の後を継ぐ以上、勝頼の前途は真暗であった。

勘助は義信も嫌《きら》いだったが、彼を取り巻く一群の勢力も嫌いだった。その一群の勢力というのは、義信さえ嫡子でなくなれば霧の如く消滅する性格のものであったが、義信が武田の後継者である限りに於《おい》ては、彼を中心として固まっている得体《えたい》の知れぬものであった。

先ず第一に晴信を出家させること、第二に義信を廃嫡すること、第三に勝頼に初陣の功名を樹《た》てさせること。そしてその全部が終ってから、長尾景虎の首級を挙げることであった。景虎の首級を挙げることと、勝頼の初陣とが、どちらが先きになるかは、勘助にも想像つかなかった。景虎を打倒することが、晴信の考えているほど容易でないことだけは、勘助は知っていた。

だから勘助は景虎との対峙を、いつも決定的な大決戦に持って行かないように努力していた。景虎との合戦は、武田家の力が名実共に最も充実した頂点の時期に決行すべきものであった。

天文十九年に、善光寺山に景虎が布陣した時も、それに対して決戦を仕かけようとする晴信を押えて、逆に、勘助は書信を認めさせて、それを使者に持たせて景虎に送った。その時の文面は次のようなものであった。

——お互いに私怨《しえん》は持っていないのに、このように度々対峙することは無駄《むだ》だと思うが、どうであろうか。余が本国、甲斐に手を入れる時は、相手が誰であろうが、無二の一戦を、こちらから仕掛けるが、そうでない限りは、徒《いたず》らに戦を挑むつもりはない。

この使者が立った翌日、午《うま》の刻に、景虎はさっさと陣を払って、越後へ軍を回した。こうした景虎の仕打ちは、勘助には恐ろしいものに見えた。二十歳前後の若い武将のやることではなかった。軍を退《ひ》くことに何の未練もなかった。景虎は何回も北信を侵して、晴信を甲斐から出動させ、最も自分に好都合な決戦の機を覘《うかが》っているもののようであった。

天文二十年一月のことであった。

勘助は由布《ゆぶ》姫に招かれて、観音院に伺候《しこう》した。由布姫は十八年の夏、於琴姫のことを問いつめて、勘助を困らせてから一年半になるが、その後一度も於琴姫のことは口に出さなかった。勘助も問われないのを幸いにして、その事には触れなかった。

併し、この時は由布姫は初めて、於琴姫のことを口に出した。

「夏姫、春姫、信盛、みな達者でありましょうな」

「は」

勘助は答えた。自分が於琴姫の三人の子供を預かって育てていることは、直接由布姫には語っていなかったが、それは当然由布姫の耳にはいっていることであろうから、それをいま口に出されても敢《あ》えて怪しむには足らなかった。

「一度、勝頼と正式に対面させてやってくれませぬか。そなたが将来、勝頼のよき味方となると言いましたから、わたしはそれを信じております」

勘助は、それについて別に異議はなかったが、併し、由布姫の表情と、その言い方

が少し気になった。冷たかった。と、果して、

「随分、この一年苦しんで参りました。もうこの苦しみに耐えて行くのは厭《いや》です。以前は、上様の首級《おしるし》を頂戴《ちょうだい》しようと考えたこともありましたが、いまは、そんな気もなくなっています」

勘助は顔を上げて由布姫を見た。由布姫の心の内が判らなかった。

「於琴姫も、同じお苦しみでしょう」

「は」

勘助はまるで自分が叱《しか》られているようであった。

「それで、わたしも於琴姫も二人とも、上様の許から身を引くことに致します。そして、わたしは於琴姫と一緒に、仲よくこの観音院で暮すことにしようかと考えています」

「と申しましても於琴姫が」

「於琴姫には使者を立てて、賛成を得ております」

「え」

いつも、由布姫には驚かされるが、こんども勘助は驚かされた。

「油川様へお使者を立てたのでございますか」

由布姫は細い声を出して、微《かす》かに笑った。

「勘助は、於琴姫が油川家に帰されているとでも思っておるのですか」

「そう思っておりました」

「愚かなこと！」

また笑って、その笑い声をぷっつりと切ると、

「そんなことは、まあどうでもよろしい。それより、兎《と》に角《かく》二人はそう決心したと、上様へ貴方《あなた》から伝えて戴きたいんです」

「は」

勘助はそう短く返事をする以外仕方がなかった。事情はよく判らなかった。それにしても、この観音院に居て、由布姫にいろいろな事がよく判るのが不思議だった。

「兎に角、ここにお二人でお住みになるのでございますな」

「そうです」

「随分、大変なことでございましょうな」

将来が思いやられると思った。

「別に心配はありませぬ。二人とも尼になります」

「油川様？」

「えっ？」

「そう決心しております」

「どうして、また急にそのような御決心をなさったんですか」

「上様は去年から木曾を攻略しようと夢中になっておられます。木曾だけになぜあのように熱心になられるか、勘助には判らないでしょう」

「木曾攻略は、勘助がおすすめしているのでございます」

「それはそうかも知れません。でも、上様は勘助とは少し違ったことを考えておいでです」

由布姫は、奥歯に物のはさまったような言い方をした。そして、暫く口を噤《つぐ》んでから、

「木曾の室の従兄姉《いとこ》に当る方で、音に聞えた美しい女性が居られるということを、わたしは聞いております」

「そういう方があるかも知れません。が、それが一体どうしたというのでございます」

「上様は木曾の国がほしいのでなく、その女性の方が目的です」

「まさか」

勘助は言った。言ったが、なるほどあるいはそう言う気持も、晴信の心のどこかにひそんでいないものでもないと思った。言われてみれば、晴信の木曾との合戦の仕方には、他国を攻略する場合と少しく違ったところが感じられる。

併し、勘助は口では、それを否定した。

「勘助は上様の心をよく知っております。木曾攻略のことは、姫さまの――」

「邪推だというのですか」

「邪推だとは申し上げませんが、お思い過しでございましょう」

すると、それには答えないで、

「わたしの時は、上様はどうなさいました？　勘助は、あの時の事情をよく承知している筈です。勘助は、こんどは、木曾へもう一人の女性のお方をお迎えに行くのですか。忙しいこと！」

由布姫自身のことを言われると、勘助は一言もなかった。

「兎に角、上様には、勘助からよくお話してみましょう。かりそめにも尼さまになるというようなことはお考えになっては困ります」

実際、由布姫にも於琴姫にも尼になられたら、晴信は本当に新しい若い側室を探すだろうと思った。

「わたしたちが尼になるか、でなかったら、木曾の攻略をやめて戴くかです。即刻木曾を攻めることをやめて戴くなら、わたしたちも、一応、尼になることは考えてみましょう」

「木曾との合戦をやめると言うことは――」

「できぬと言うのですか」

木曾を平定することは、武田家にとっては何よりの急務であった。それを中止するというようなことは出来ない相談だった。

「兎に角、上様とよく相談いたしてみましょう」

勘助は答えた。

翌日、勘助は晴信に会うために、古府へ出掛けた。晴信に会って、法体になることをすすめようと思った。法体になって、女色を断つことを誓わせ、それで由布姫の疑念を去らせて、木曾攻略を続けるほかはないと思う。

勘助が晴信の前に伺候したのはその翌日の午後のことである。勘助は人払いをして貰って、

「上様にお訊きしたいことがございます」

と言った。いっきに押しまくってしまう決心だった。

「上様は、於琴姫をどこにお匿《かく》しになっておられます？」

厄介《やっかい》なことを持ち出されたといった晴信の表情だった。が、直ぐふてぶてしく居直って、

「積翠寺《せきすいじ》に置いてある」

けろりとして晴信は言った。

「信濃の御実家にお帰しになったと言った、あれは嘘《うそ》でございますか。勘助には確かにそのように仰せでございました」

「そうするつもりだったが、於琴が厭だと言うのだ。それで、そのままになっている」

「では、それはそれで宜《よろ》しゅうございます。由布姫さまは、ちゃんとそのことを御存じで、於琴姫をもおさそいになり、尼になる決心をなさっておいでです」

「ふむ」

「どうなさいます？」

「困ったな」

「御側室が二人尼になったとあっては、他国への聞えも妙なものでございましょう」

勘助は顔を和らげないで、

「上様が法体になられる以外仕方ないと思います。そうなれば、お二人の姫さまも、厭な想像はなさらないと思います」

「厭な想像？」

それについては、勘助は直ぐには説明しなかった。

「厭な想像とは何かな」

「お二人のこと許りではありませぬ。世間の疑念を解く上から申しましても――」

「世間の疑念とは何か」

「世間というものは、思いもよらぬ考え方をするものでございます。上様の木曾攻略は――」

そう言って、勘助は、顔を上げて晴信を見詰めた。眼を晴信の面から離さなかった。ほんの僅《わず》かだが、晴信の顔色が変った。

「世間の考えではあるまい。それは勘助一人の考えではないか」

「勘助が自分一人考えています分には、お二方が尼になるようなお考えはお持ちにはならぬと思います」

「だが、気がすすまぬな」

用心して晴信は言った。うっかり返事して言質《げんち》を取られたらと思ったのか、いつになく晴信は慎重だった。

「兎に角、明日まで、お考えおき下さいますよう」

そう言って、勘助は晴信のもとを辞した。

勘助は、その日、いつも古府に来た時寝泊りする板垣信方の旧邸に落着くと、夜になってから片側町に当松庵と言う僧侶《そうりょ》を訪ね、晴信から女色を取り上げるために、晴信に出家入道をすすめることを依頼した。勘助は当松庵とは二年前から親しく交際していた。信頼のおける人物であった。

当松庵は、自分一人では晴信に出家入道を決意させる力はないが、晴信が日頃尊敬している足利《あしかが》の桃首座という僧侶を招《よ》び、彼にすすめさせたら、晴信はあるいはそれを承知するかも知れないと言った。

勘助は、その翌日、桃首座に会うために、直《す》ぐ足利に向って馬を走らせた。使いを出すより、自分で出掛けた方が早いと思ったからである。

当松庵、桃首座の二人の僧侶が打ち揃《そろ》って、古府の館に伺候したのは、二月の初めであった。桃首座は言った。

「君の御本卦《ほんけ》は豊かで、非常に御立派なお生れでございますが、併し、昼より以前は吉、昼以後は虚盈《きょえい》ありと申す言葉が現れております。そのことを申し上げたくて、二人揃って伺いました」

勘助はその席で、黙って晴信の顔を見詰めていた。晴信は、不快そうな顔をして、二人の僧侶の言うことを聞いていた。

「日中以前と申すのは人生の前半、日中以後は後半でございましょう。人生を六十年と見ますと、日中は三十歳でございます。上様も今は後の三十年に踏み込まれております。日中以後虚盈ありというのでありますれば、この際とくとお考えにならなければならないでしょう」

桃首座は言った。

「どうしたらいい?」

晴信が言うと、勘助は横から進み出た。

「この際、入道なさって、天命を恐れるべきでありましょう。いま世上の体を見ますのに、古い家は尽《ことごと》く滅びております。かりに武田家の滅亡の時節が到来しても少しも不思議ではなく見受けられます。新羅三郎義光《しんらさぶろうよしみつ》公より、代々、弓箭《きゅうせん》を取って、未《いま》だ家勢を落さず参りました。然《しか》るに、上様の御代《みよ》におきまして、若《も》しも——」

「判っている」

晴信は言った。

「いいえ、よくお判りではありませぬ」

横から勘助は言った。

「判っている。判っている。出家入道、己《おの》が天命に恭順であれば、それでいいではないか」

「出家なさっても、形の上だけでは困ります。出家なされました上は、以後、新しい女性はお近づけにならぬという御決心が肝要でございます」

勘助は、この機会に言うだけのことは言おうと思った。

晴信が出家して、徳栄軒信玄と号し、道号を機山とつけたのは、二月十二日の申《さる》の刻であった。晴信はここに信玄となった。

この時信玄と一緒に剃髪《ていはつ》した武将は、原美濃守、山本勘助、小幡山城守、長坂左衛門尉といった面々であった。原美濃守は入道清岩と号し、勘助は道鬼、小幡山城守は日意、長坂左衛門尉は釣閑《ちようかん》となった。

二月十五日に、道鬼となった勘助は、諏訪に帰り、それから二、三日してから、観音院に由布姫を訪ねた。

勘助は由布姫の前に出ると、晴信が剃髪したことを告げた。由布姫は、笑いを嚙《か》み

殺した苦しそうな表情で、勘助の顔を見守っていたが、

「御苦労さまでした。勘助まで出家させられて、お気の毒なこと！」

それから初めて声を出して笑った。

「これで、姫さまは尼になられなくてよろしゅうございましょう」

「尼？　まあ、あんなこと、勘助本当にしていたのですか」

「では尼になるとおっしゃいましたのは嘘でございましたか」

「嘘にも本当にも、尼になるなんて、由布姫考えたことありませぬ。若し、尼にでもなろうものなら、わたし上様に敗《ま》けたことになるではありませぬか」

「では、於琴姫さまのことも嘘でございますか」

「於琴姫のことは存じませぬ。あるいは今ごろ尼になっておいでかも知れませぬ」

「そんな！」

無茶だと勘助は言いたかった。

「於琴姫さまが、若し尼になっておられましたら――」

「多分、なっているでしょう。わたしがそう命じたのですから」

「それでは、まるで、ぺてんにかけたことになるではありませぬか」

「勘助はどちらの味方です？」

「わたくしでございますか」

勘助はつまった。

「勘助！」ちょっと強い語調で言ったが、直ぐ思い直したのか、由布姫は、

「戸外を歩きませぬか。勘助と一緒に桃の花を観《み》ましょう」

と、静かに言った。

勘助は由布姫のあとに従って、観音院の前の坂を降り、いったん往還に出て、それから天竜川の取入口から、その流れに沿って河岸の道を歩いて行った。付近一帯には桃樹が多く、まだ冬の気配の冷い大気を破って、薄紅色の花が山陰や雑木林の中に点々と咲いていた。

「勘助、わたしはそう長く生きようとは思いませぬ」

由布姫は歩きながら言った。

「ほら、こんなに腕が細くなっています」

言われてみると、なるほど、それでなくてさえ細い由布姫の腕は、ほんとに一握りあるかないかの細さになっていた。その白さが痛々しかった。

「お寒くはありませぬか」

「いいえ、寒くはありませぬ」

そう言ってから、

「上様や勘助を出家させたり、於琴姫を尼にしたり、由布姫のすることはいけませぬか」

「いいえ。決して――」

勘助は答えた。由布姫に関する限り、彼女が何をしようと、いけないというような事があろうとは、勘助には思えなかった。由布姫が何を考えようと、何をしようと、それは全部勘助には非難できないものに思えた。

「桃の花がきれいですこと。でも、この桃の花を見るのも、もう今年だけかも知れませぬ」

「そんなお考えを持ってはなりませぬ」

「でも、もう、本当は余り長く生きたくはないのです。女というものは哀れなものです。近頃つくづくそんな気がします。於琴姫のことを知った時は、上様が汚《けが》らわしいと思いました。でも、いつかそれに慣れて、御正室様、於琴姫とお二人の間に挟《はさ》まって、今日まで生きてまいりました。また、この先き新しい女性の方ができても、苦しんだり悲しんだりしながら、結局は、上様がお見えになれば、御機嫌をとって、生きて行くようになることでしょう。もう、厭です、そんなこと！」

その最後の言葉だけが強かった。

「もう、その心配はございませぬ。上様は御出家なさいました」

すると、由布姫は笑った。その笑い声がいつまでも、早春の大気の中をつめたく転がって行った。

「出家したからと言って、何が変るでしょう。都から大僧正の宣下《せんげ》があるだけのことです。大僧正、上様が？　ああ、おかしい！　あの上様が大僧正！」

こんどの笑い声は前とは少し違っていた。

「姫さま」

勘助は、由布姫が狂ったのではないかと思った。そうとでも思うより仕方のない由布姫の様子だった。

「わたしは、本当は、合戦に出掛けて行かれる時の上様だけが好きです。御正室様のことも、於琴姫のことも、わたしのことも、少しも考えていらっしゃらぬ、合戦に勝つことだけしか考えていらっしゃらぬ、あの時の上様だけが好きです。それ以外の時の上様は嫌いです。勝頼には、そうした上様の凜々《りり》しいところだけを上げたいと思います。勘助、勝頼をそのような武将に育て上げてくれませぬか。頼みます」

「御心配なさらなくても、勝頼様は海内《かいだい》一の弓取りになること必定でございます。今までにないような、強い大将におなりになると思います。諏方法性《すわほつしよう》の兜《かぶと》をおつけになった勝頼様を眼に浮かべますと――」

勘助はそうした勝頼を想像すると、うっとりした。気が遠くなる思いだった。勘助も亦《また》、いま彼の持っている夢の中で一番大きいものは、勝頼の成人であるようであった。

信玄も好きだったし、由布姫も好きだった。この世の他《ほか》の誰よりも好きだった。その二人の血が一つになった勝頼を外部の圧迫から守り、立派に育て上げることが、勘助のこれからのただ一つの仕事であった。

「勘助、帰りませぬか」

由布姫にそう言われるまで、勘助は遠くの丘陵の斜面に眼を当てていた。が、何も見ていなかった。考えることがいっぱいあった。

その時、若い武士が馬を駈《か》けさせて来た。彼は勘助の傍《そば》まで来ると、馬から降りて、

「上様が間もなくお越しになります」

と言った。

「なに、上様が！　直ぐ帰る！」

勘助は言った。また合戦だなと思った。信玄が来たと聞いて、由布姫の顔には、み

るみるうちに生気が立ち上って来た。それが、勘助の眼にもはっきりと判った。

「直ぐお帰りになりませぬと」

勘助が言うと、

「桃の枝を折って来て下さい。わたしの言いつけを守って、法体になられた上様に、何の御褒美《ほうび》もありませぬから、桃の花でもお目にかけましょう」

勘助は暫く由布姫の顔に見惚《みと》れていた。やはり於琴姫より一段と美しいと思った。それが勘助には満足だった。

勘助と由布姫は急いで観音院へ帰った。勘助はてっきりまた合戦だと思ったが、信玄は館の縁側に坐って、いつになくのんびりした表情をしていた。由布姫が戸外から持って来た桃の花を見て、

「もう桃の花が咲いているのか」

と言った。

「桃の花は、一カ月も前から咲いております」

と、由布姫が言うと、

「ほう、そうか。少しも気が付かなかった」

そう信玄は答えた。信濃、甲斐の山野に点々と咲いている桃の花に気が付かないほど、信玄は合戦合戦に明け暮れていたのである。

剃髪した信玄の顔は、何となく薄ら寒そうに見えた。由布姫にもそうした信玄の姿がおかしく映るらしく、彼女は絶えず笑いを嚙み殺している表情を取っていたが、併し、信玄の剃髪したことには一言半句も触れなかった。

「また、御出陣かと思いました」

勘助が言うと、

「合戦か、たまには休ませてもらわぬと――」

それから、由布姫に、

「酒宴の支度をしてくれ」

と命じた。勘助は、由布姫と信玄を二人だけにするために、その場を退出しようと思ったが、信玄は、

「久しぶりで、一緒に酒を飲もうではないか」

と珍しくしみじみとした口調で言った。

信玄と由布姫と勘助が、三人で酒盛りをするのは、これが初めてであった。縁側から見える湖面は、まだ黒ずんだ冬の色をしていて小波《さざなみ》一つないほど静かであった。湖

を隔てて遠くに見える山々には、山巓《さんてん》だけに雪があった。

「お互いに法体にされたが、さて、これから何をしようか」

そんなことを、信玄は冗談に紛らわせて言った。

「木曾を討てと言えば木曾を討つ。越後を討てと言えば越後を討とう。由布姫の言うままだ」

「わたくしの言うまま!?」

由布姫は静かに言ってから、

「上様は、どうして、今日はそのようにわたくしに優しくおっしゃるのでございましょう」

「優しく言うわけではない。いろいろと迷っているから、そちの言葉で、自分の進んで行く道を決めたいのだ。いま、信玄にとっては一生で一番難しい時である。考えても決まるものではない。由布姫の言葉でそれを決めたいだけである。余も、勘助も考えられる限りは考えつくしている」

信玄のこんどの口調は冗談ではなかった。勘助は傍で聞いていて、なるほど信玄の言葉の半分は本当だと思った。武田家はいまが一番難しい時である。併し、いま由布姫の言葉でこれからの方針を決めようと言うのは、信玄の自分に対する牽制ではないかと勘助は思った。

信玄は総力を挙げて、いっきに、木曾であれ、長尾であれ、自分の前に立ちはだかっている敵を葬《ほうむ》り去りたいのだ。いつも勘助が自重することをすすめているので、それが気にくわないのである。それで、由布姫の言葉を絶対の至上命令として、勘助に容喙《ようかい》させず、いっきに事を運ぼうという考えなのであろう。それが手に取るように勘助には読めた。

由布姫が何を言い出そうと、その言葉に従って必ず勝利を得る自信を、この若い法体の甲斐の武将は持っているのであった。

「では、申し上げましょう」

由布姫は躊躇《ちゅうちょ》することなく口を開いた。勘助は顔を上げて由布姫を見た。

「木曾をお討ちなさいましたら!?　木曾をお討ちになりたかったのでございましょう」

多少皮肉な口振りだった。

「木曾か」

信玄は気難しい顔をして言った。

「木曾をお討ちになり、その上で古府の姫さまを木曾の御大将に縁づけなさいましたら――。今までは降伏させた相手から人質をお取りになりました。わたくしの場合のように――」

由布姫はそう言ってから微かに笑った。

「でも、亡《ほろ》ぼした者の血すじの者を、こちらが人質に取るということは危いと思います。わたくしの場合は、わたくしだったから、上様は幸せでございました。頭をまるめられるぐらいのことですみました。わたくしでなかったら、お命がありませぬ」

ぴしゃりと由布姫は言った。信玄はとんだことになったといった顔つきで、

「ばかな」

と言った。

「いいえ、いい加減なことは申し上げませぬ。わたくしの心は勘助がよく知っております。嫉妬心《しっとしん》から申し上げてはおりませぬ。木曾の美しい女性の方など、輿《こし》に入れて甲斐へ運ぼうとお思いになりましたら、それはとんだこと！　あっという間に、お命が失《な》くなりましょう。家を亡ぼされた者の気持はわたくしがよく知っております。それより反対に人質を先方へお出しなさいませ」

「うーむ」

と、思わず横で勘助は唸《うな》った。被征服者の方へ、征服者から人質を出すことなど思

いもよらぬことだったが、併し、それは由布姫の言う通り、今まで誰もが考えたことのなかった効果的な政策であるかも知れなかった。自分が人質になって来た由布姫にして初めて考え得られることであった。

「うーむ」

勘助はまた唸った。信玄も、この由布姫の言葉には参ったらしく、恰《あたか》も由布姫の言葉をそのまま鵜《う》飲《の》みにでもしたような顔つきで、即座に、

「よし、木曾を討とう」

と言った。そして、

「勘助、いいか？」

と、勘助の方へ念を押した。

「勘助も、越後より先に木曾の方もお片づけになることは賛成でございます。それから木曾をお討ちになることと並行して、今川、北条との同盟を確固としたものにすることが肝要でございます」

由布姫の言葉に依《よ》って、勘助の頭に点火された小さい火は、いまや四方へ大きく燃え拡《ひろ》がろうとしていた。

北条との同盟を鞏固《きょうこ》にするためには、信玄の正室の腹である長女を、北条へ嫁《か》せし

めることである。そして北条をして今川へ、さらに今川をして武田へそれぞれ同様に女《むすめ》を嫁せしめる。何年か前に一度考えたことのある政策が、いまや新しい意味をもって、勘助の眼を輝かせ始めていた。こうしておけば、武田、北条、今川の三家は、互いに姻戚《いんせき》関係を結ぶことになる。そして、後顧の憂いを全くなくして、信玄は上杉景虎と雌雄を決しなければならない。長尾景虎は天文二十年八月に上杉憲政《うえすぎのりまさ》から管領《かんれい》職とその姓を譲られて、以来上杉謙信景虎と号していた。

勘助は、このことを信玄に詳しく説明した。信玄は長いこと黙って考え込んでいたが、すぐには返事をしなかった。

「由布姫下がっていてくれぬか」

突然、信玄は由布姫にその場を外すように命じた。由布姫は素直にその場から立って行った。あとは信玄と勘助の二人だけになった。いつか四辺《あたり》は暗くなりかけていた。

「灯を入れましょうか」

勘助が言うと、

「いや」

信玄は首を振って、

「今川、北条、武田の同盟は永久に続くかな」

と、ぽつんと訊《き》いた。

「さあ。——続くかどうかは判りませぬ。併し先程申し上げた通りにすれば、少なくとも上杉景虎をやっつけてしまうぐらいまでは続くと思います。景虎さえやっつけてしまえば、あとはたとえ同盟が破れましても——」

「いいと言うのか」

「はあ。北条、今川の順にこれを征服することは簡単でございましょう」

「勘助」

信玄は烈《はげ》しい声で叫んだ。

「その時は北条へ行っている姫はどうなるかな。そして今川から妻を迎えている義信はどうなるかな」

勘助は、この時、自分の体が次第に細かく震えてくるのを感じていた。信玄は、勘助の心の底の底まで見抜いている風だった。

「もう一人の姫は、由布姫の言うように木曾へ差し出すとするか。そうすれば、義信の兄妹《きょうだい》三人は——」

あとは口を濁して、

「不運な者たちだな」

「上様」

あわてて勘助が言うと、

「気にかけなくてもいい。余はただそういう結果もあり得るということを言ってみたまでだ。併し、いま武田家にとっては、先刻そちの言ったことを実行することが一番大切だ。武田家の家運のためには、そのことが為《な》されねばならぬだろう。すぐにもその事を実行に移して貰いたい」

儼然《げんぜん》とした信玄の口調だった。

勘助は、この時初めて、信玄に対して心からある畏《おそ》れを感じた。由布姫と自分との、最も恐ろしい敵として、主君信玄に不気味なものを感じた。信玄は正室の子供たちが、それぞれ危険を孕《はら》む立場に立つことをちゃんと承知して、その上で、勘助の策謀を取り上げようとしていた。勘助はこれまで信玄に年少者を感じていた。海内に並びなき武将として尊敬はしていたが、やはりどこかに年少者的なものを感じていた。それが、いま全く取り払われてしまった気持だった。

勘助は、信玄が由布姫を愛しているか、どうか、はっきり判断できなかった。それは由布姫の場合ばかりでなく、自分の場合も亦同じだった。信玄に信任厚いことは判っていたが、それでいて、一点油断できぬものがどこかにあるような気がした。

併しまた、勘助自身の信玄に対する気持も複雑であった。信玄のためにはいつ生命を棄《す》てても、少しも後悔するところはなかった。信玄が天下に号令するようになるためには、どんなことでもしようと思う。だが、そこへ由布姫が一枚加わってくると、事情はそう単純には割り切れなかった。由布姫と勝頼を、信玄からかばいたい気持が強く働いてくることを否定できなかった。

それから三日程して、信玄は観音院から古府へと帰って行ったが、そのあとで、由布姫と勘助は二人だけになった。その時、由布姫は、

「勘助、上様はわたくしを御前から退出させたあとでどのような話をなさいました？」

と訊いた。

「別に変ったお話はありませんでした。勘助が申し上げた、今川、北条、武田三家の同盟工作をすぐ実行に移すようにとの仰せでした」

勘助が答えると、

「上様は、そこから起る御正室様たちの不利な立場をよく見抜いておられると思います」

「どうして、それがお判りでした？」

「あの時の上様のお顔を見れば、すぐそれは判ります。暗いお顔でした。併し、上様はそれがいまの武田のお家にとって必要なことを御存じなので、勘助に敢《あ》えてそれをするようにお命じになったのだと思います」

そう言ってから、

「もう一つ、上様はお口には出しませんでしたが、わたしの生命がそう長くないことを見抜いていらしたと思います。上様は、若しわたしが丈夫でいつまでも生きるとお考えでしたら、決してこんどのようなことは決心なさらなかったことでありましょう。わたしの生命がさほど長くなく、将来、武田家の禍根となるようなことのないことを見抜かれて、ああした処置をお取りになったと思います」

そう由布姫は言った。

「御丈夫だったら、なぜ、武田家の禍根になります？」

ぶしつけに勘助が訊くと、由布姫はひどく淋《さび》しい顔をして、

「御正室様のお子様が少しでも不利な立場にお立ちになれば、わたしは棄ててはおかぬでしょう。わたしは勝頼が可愛《かわい》いのです。御正室様のお子様は、たとえ上様の血がはいっていようと、わたしは嫌いです。憎いのです。ああ自分ながらあさましいこと！」

「お声が高うございます。そんなことを口外なさってはなりませぬ」

「でも、本当です」

「本当なら、なおさらでございます」

「でも、勘助！」

由布姫は言葉を切って、

「でも、こうした怖ろしい気持も、みな上様が慕わしいからです。以前は、上様のお命を戴こうと思った。いまはそうは思いませぬ。上様と他の女性との間にできたお子様たちの命を断ちたい気持だけ」

「いけませぬ、そのようなことをおっしゃっては」

「勘助以外聞いている人はありませぬ。勘助、怖ろしいでしょう、わたしという女は、――勿論《もちろん》、上様もこうしたわたしを御存じです、怖ろしいと思っていらっしゃる。でも、また上様は、こうしたわたしが長く生きないことも知っていらっしゃる」

由布姫は突然立ち上がって、狂ったように笑い出した。

「上様は、わたしの命がそう長くないことを知っていらっしゃる。だから、御正室様のお子たちをどんな立場においても、そうたいして心配してはいらっしゃらぬ」

「御自分の命のことを、そう軽々しくおっしゃってはなりませぬ。長く御丈夫でいて、勝頼さまの――」

勘助は、いつか自分も亦由布姫と同じ一つのことを烈しく祈求していることを感じていた。そして、由布姫に長く生きていてもらわねば困ると思った。

由布姫が死ぬなどということは、彼には到底考えられなかった。由布姫が居ないこの世というものを、勘助はどうしても考えることはできないのであった。

十章

信玄が今川義元の女《むすめ》を迎えて嫡子《ちゃくし》義信の室としたのは、天文二十一年の暮のことであった。そして二十二年七月には、北条氏康の女が、今川家に嫁《か》することになり、両家の縁組が実現した。そしてその年の十二月に、武田の長女は北条氏康の息新九郎の室として相州へ嫁して行った。勘助と信玄と由布《ゆぶ》姫とが観音院の一室で相談してから、三家の同盟が形となって現れるまでには四年近い歳月を費したのであった。

武田家から北条への輿入《こし》れは豪勢なものであった。行列に加わった人数は全部で一万余人、そのうち騎馬武者三千が、何十梃《ちょう》かの輿の前後を固め、金覆輪《きんぷくりん》の鞍《くら》や輿や長《なが》持《もち》のきらめきは、弱い冬陽《ふゆび》に反射しながら、寒い冬の日の暮方、小田原の城下へとはいった。

勘助もこの輿入れの行列に加わったが、一行の全部が小田原で越年したのに、彼だけは古府《こふ》へ帰り、信玄に輿入れの模様を報告した。

「これで漸《よう》く後顧の憂《うれ》いはなくなりました。これからは木曾攻略に取りかからねばなりませぬ」

「木曾を討つのはいつがいいか」

「八月頃《ごろ》がいいと存じます。木曾川に雪解け水が流れますのは、四月まででございましょう」

そう勘助は答えた。

八月までは木曾攻略の準備に費されることになった。

勘助は、古府から諏訪へ帰ると、由布姫のもとに伺候《しこう》した。その頃、由布姫の体はますます細くなり、色は透きとおるほど白くなっていた。そして大きい黒瞳《くろめ》は一層大きく見えて、直接下から仰ぎ見るのが怖ろしいほどの美しさだった。

「御正室様の姫さまは北条にお嫁《とつ》ぎになりました」

勘助が言うと、

「こんどはいよいよ木曾との合戦、それがすむと越後との合戦。——どうにかしてそれまで生きていたいものです」

「何をおっしゃいます。気を強くお持ちにならないといけません。越後の上杉景虎を討ったら、次は北条を討ち、今川を討ちます」

「北条、今川を討つ時までは生きられません」

「それまで生きていただかないと、勝頼様が武田家の嫡子になられるのをごらんになることはできません」

「見たいものですが」

由布姫はこの時だけ、うっとりとするような眼をした。

「必ずそれまで生きると強くお考えにならないといけませぬ」

この頃は、勘助の眼にも、由布姫の病状の悪化ははっきりしていた。

信玄が甲館《こうかん》を進発して木曾攻略のために最初の軍を動かしたのは、その年の八月下旬であった。木曾への入口にある瀬場が降参したので、信玄はひと先《ま》ず軍を甲斐に引いた。

そして翌二十四年正月慶賀として出仕した瀬場の主従二百十三人を襲って、これを全滅させた。瀬場は降参していたが、万一、木曾攻略の折逆心を起すと大変なことになるので、残酷ではあったが、勘助がこれを討つことを主唱したのであった。

そして、三月七日、本格的な木曾攻略の軍は起された。木曾贄川《にえかわ》を押通り、習井峠を越え、屋根原に着陣して、そこへ武田軍は砦《とりで》を築いた。

この間も上杉景虎は川中島方面へ侵入して来た。信玄はために一度は軍を北信に進めたが、大事に到《いた》らなかった。景虎が越後に軍を引くと同時に、信玄は再び屋根原に着陣、木曾攻略に取りかかった。甘利左衛門尉《あまりさえもんのじょう》を先鋒《せんぽう》の大将とし、馬場、内藤、原、春日《かすが》の四人の侍大将を第二陣として、武田勢は山岳伝いに御嶽《おんたけ》の城を目指した。

武田勢は初めから敵を呑《の》んでいた。小木曾、溝口《みぞぐち》等の有名な難所を越え、怒濤《どとう》のように木曾義昌《きそよしまさ》の居城へ殺到した。疾風迅雷《じんらい》の進撃振りであった。僅《わず》か一日の合戦で城は落ち、長く武田氏に反抗していた木曾義昌は信玄に降《くだ》った。

信玄は正室三条氏の腹である次女を、義昌に室として与え、本領安堵《あんど》を約し、その年十一月甲斐に凱旋《がいせん》した。勘助は甲斐に帰還すると、直ちに五百の手勢を率いて、北信へ進発した。

勘助が武田家に仕官してからいつか十年余の歳月は流れていたが、勘助にとっては、この北信への進発が、最も輝かしい時であった。今や、武田氏が攻め亡《ほろ》ぼさなければならぬ相手は、さし当って越後の上杉謙信景虎一人であった。長い間、自重に自重を重ねて、決戦を控えて、常に消極的戦法を取って来たが、もうその必要はなかった。甲斐は勿論《もちろん》のこと、南信一帯は今やことごとく武田氏の武威に服していた。それに、北条、今川、両家との聯盟《れんめい》は固く結ばれてあり、後顧の憂いというものは全くなかった。

勘助は、景虎の侵攻の気配がないにも拘らず、北信の地へ軍を進めたのである。こんなことは初めてであった。景虎が、こんど北信の地へ姿を現した時は、信玄はこれを迎えて、乾坤一擲《けんこんいってき》の大合戦を敢行しようと思っていた。勘助は、その時のために、改めて今までとは全く異なった視点から、北信一帯の原野を眼に収めておこうと思ったのである。

勘助の軍勢が小室にはいり、その地方一帯のゆるやかな斜面の上に陣を張った時、諏訪高島城からの早馬の使者が到着した。由布姫からの使者であった。

即刻、お目にかかりたいから適当の処置を取って戴《いただ》きたい――そういう文面であった。

勘助は、小室に着陣した許《ばか》りだったが、時を移さず自分一人諏訪へ帰ることにした。合戦を目の前に控えているわけではなく、越後勢侵攻の気配があるわけでもなかったので、勘助は部隊をここに留めておくことに、何の不安も感じなかった。

勘助が高島城へはいったのは、それから三日してからであった。由布姫は観音院から高島城へ来ていた。勘助がすぐ由布姫のもとに伺候すると、

「わざわざ呼び返して申し訳ありませんでした」

由布姫は静かに言って、

「用事はありませぬ。ただお会いしてみたかったのです」

と言った。酒肴《しゅこう》が運ばれた。勘助は武具をつけたままで盃《さかずき》を取り上げると、由布姫の手で酌《しゃく》をして貰って、それを疲れた体の内部へ流し込んだ。

「勘助、幾つになりました？」

「六十三歳でございます」

「初めてこのお城でお目にかかってから十年になります」

しみじみとした口調で由布姫は言った。

「姫さまは、お幾つでございます？」

「二十五歳になりました」

「ほう、早いものでございますな」

「勝頼が十歳になりました」

それから由布姫は侍女に命じて勝頼を招《よ》んだ。

勘助は年に二回か三回かしか勝頼には会っていなかった。合戦合戦の明け暮れで、勝頼にゆっくり会っている暇はなかったのである。その時は、その年二度目に見る勝頼だった。

勝頼は母に招ばれてやって来ると、黙って母の横に坐《すわ》った。無口で腺病質《せんびようしつ》な少年であったが、勘助の眼には、勝頼の持っているあらゆるものが優れたものに見えた。顔容は信玄とは似ていなかったが、眼だけは生き写しであった。

「頼みます」

一言、由布姫は勘助に言った。

「これが、今夜貴方《あなた》に言いたかったのです。急に矢も楯《たて》も堪《た》まらず、勘助に言いたかったのです。六十歳を過ぎた貴方を遠いところから呼び返してすみませんでした。わがままを許して下さい」

「姫さまのわがままには慣れております」

勘助は笑いながら答えた。口では言わなかったが、由布姫のわがままほど、勘助の気持を一種陶然たる酔心地にするものはなかった。この姫に最初に会った時から、今日まで絶えず、勘助はわがままをされ続けていたと思った。

その夜の由布姫は少しも病人らしいところはなかった。顔の色も艶々《つやつや》として、眼も活《い》き活きして生気にみなぎっていた。

勘助はその夜、高島城に一泊すると、翌早朝再び部隊を置いてある小室へ向けて馬を走らせた。

小室へ帰りつくと、さすがに疲労が全身を覆《おお》っていた。その夜は、本営の置かれてある小さい寺の奥の間に死んだようになって眠った。

早暁《そうぎよう》、勘助はふと眼を覚ました。戸外は既に明るくなり、暁方《あけがた》の光りが部屋内に流れこみ始めていた。

「敵の物見が海野平《うんのだいら》からこちらの方角に進んでいるという注進がございました」

隣室でそういう声がしている。

「なに、敵の物見？」

「越後勢と思われます」

「何名ぐらいか」

「千名を越しております」

「よし」

勘助が起き上がった時は、寺の広庭には部下たちが、白い息を吐きながら、勢揃《せいぞろ》いしていた。物見といっても大部隊である。海野平をこちらに進軍しているということは、一戦を交えようとしていることは明らかである。

「直《す》ぐ引くことにする」

勘助は言った。小合戦をして、徒《いたず》らに部下を損傷する気持はみじんも持っていなかった。

勘助は小室の陣を払って、南へと道を取った。敵も、こちらが退却する以上、追討ちをかけて来ようとは思われなかった。

二里程行軍した時、一本の矢が部隊の後尾を掠《かす》めた。勘助は執拗《しつよう》に部隊を追って来る相手方に腹を立てた。併《しか》し、合戦する気はなかった。

歩度を速めて、そのまま、部隊は山裾《やますそ》に沿って南下を続けた。

前方から早馬一騎が現れた。その騎馬武者は部隊の中央に居る勘助のところまで来ると、転げ落ちるように馬から降りて、

「由布姫さま、昨夜、御他界なされました」

と言った。思いがけない諏訪からの使者であった。

勘助は己《おの》が耳を疑った。そんなことがあって堪まるかと思った。

「もう一度言ってみろ」

「由布姫さまは――」

使者は同じことを言った。

「姫さまがお亡《な》くなりになったと言うのか、あの、姫さまが！」

勘助はその時、烈《はげ》しいいななきと共に後脚を高く蹴上《けあ》げた馬から危《あや》うく落ちそうになった。馬の尻《しり》には、矢が一本立っていた。

「姫さまが御他界、あの、姫さまが！」

矢は何本か彼の周囲を掠めて走った。

喊声《かんせい》が遠くで聞えている。

「引け」

勘助はきびしく部隊に命じたまま、自分はそこに立っていた。やがて、彼は馬から降りると、自分の手で、馬の尻から矢を抜いた。そうしている彼の傍《かたわ》らを部下たちは全速力で退避していた。

「引け、引け」

勘助は呶鳴《どな》り続けた。

彼が再び馬に跨《また》がった時、全く思いがけず、丘陵の向うから、ばらばらと十数名の敵の一団が抜刀して迫って来るのが見えた。

「姫さまが、ばかな、そんなことがあって堪まるか」

由布姫の死は現実の事件として、勘助には受け取れなかった。

矢がまた何本か彼の周囲を走った。彼を取り巻くように喊声が四方から起っていた。

勘助は馬を西方に走らせたが、途中から引き返した。右からも左からも十数名の敵の武士たちが迫りつつあった。

勘助は馬をあちこちに乗り廻しながら、なおも、「姫！　姫！」という短い言葉をくり返していた。

が、やがて、四方から敵の武士たちが彼をめがけて殺到しつつあることに気付くと、初めて自分がいま置かれてある立場がいかなるものであるかを知った。烈しい憎しみが勘助の五体をつんざくように走り抜けた。勘助は馬上に身を伏せると、手槍《てやり》を握りしめながら、一方へ血路を開こうと思った。彼は身の危険ということは少しも感じなかった。ただむらがって来つつある敵の武士たちが憎かった。

早く一人にならなければならぬ。

勘助は自分の進む方向を決めると、前方を塞《ふさ》ぐ敵の一人をも許さぬ気持で、馬首をその方へ向けた。

勘助の身を案じて味方の武士たちが引き返したのか、あたりでは何組かの武士たちが斬《き》り結んでいた。

勘助は一人を突き刺し、一人を跳ね上げた。血しぶきが馬の腹部にかかった。それを合図に勘助は何か正体の判らぬ真黒い大きなものに、飛びかかって行った。阿修羅《あしゅら》のような形相《ぎょうそう》だった。

勘助は敵の集団を蹴散らして、一方の血路を開くと、そのまま馬首を南に向けた。馬は道のない原野を一本の矢のように走った。北信の段落のある丘陵地帯を、駈《か》け上がり、駈け降り、南へ南へと走った。

姫が！

勘助が何十回目か何百回目かの同じ短い言葉を口に出した時、馬は大きくいななて、前脚を折って横倒しに倒れた。勘助は槍を抱えたまま地上に投げ出されると、ごろごろと雑草の中を二、三回転がり、灌木《かんぼく》の根株のところで停《と》まった。

姫が！

勘助は跳び起きると、あたりを見廻した。先刻由布姫の急逝《きゅうせい》を告げて来た使者の姿を探した。が、そこには誰も居る筈はなかった。見はるかす広い原野のただ中に、勘助は自分以外のいかなる人間の姿も見なかった。真昼の冬の陽が弱くあたりに散り、霜枯れた雑草の中に、夥《おびただ》しい薄《すすき》が、銀色の穂を光らせているばかりである。風がないのかその銀色の旌旗《せいき》はさゆるぎもしない。

勘助は改めて先刻使者から出た言葉を自分の口から出してみた。——由布姫さま、昨夜、御他界なされました。

確かに、それを自分の耳は聞いた筈であった。由布姫が他界したとは、由布姫が呼吸を断ち、この世から姿を消したことではないか！　あの美しい気高いものが、この地上から消えて失くなってしまったことではないか！　莫迦《ばか》な！

勘助には、どうしても信じられなかった。なるほど、由布姫の体は一握りにできるほど細くなり、その眼は白蠟色《はくろういろ》の冴《さ》えた顔の中で、ますます大きく、ますます澄み渡りつつあった。それは彼女を見る何人《なんぴと》にも死期の近いことを思わせた。勘助もそれを感じていた。併し、姫が！　あの高貴なものが——

勘助は雑草の中から起《た》ち上がった。馬は再び役にたちそうもなかった。どこかひどく遠くの方で、部隊の集合を命ずる法螺《ほら》が鳴っている。味方の法螺の音である。

その日一日、勘助は徒歩で南へ南へと歩いた。狂ったように足を速めたり、反対にのろのろと歩いたりした。

幾つもの部落も通り抜けた。無人の部落であった。人の子一人姿を見せなかった。家々の表戸は固く閉ざされ、道の両側の荒壁の土塀《どべい》を、時折鳥影が掠めるほか、部落全体は死んだようにしんとしていた。どこの部落も同じであった。勘助は部落にはいると、決まって民家の井戸端で水を飲み、それからまた血に染まった槍を杖《つえ》にして、その無人の部落を通り抜けて行った。

ある部落を過ぎる時、勘助は突然、「姫が！」と叫んだ。絶叫に近かった。槍の石突が乾燥した道路の砂埃《すなぼこ》りの中に二、三寸めり込んだ。途端、きゃあっという叫び声が、彼が立っているすぐ前の土塀の内側で起った。それと同時に、ばらばらと遠くへ逃げ去って行く何人もの跫音《あしおと》を勘助は耳にした。無人の部落ではなかった。その部落に限らず、どこの部落でも、村人たちは一人の阿修羅のような形相をした老武士を怖れて、彼を避けるために戸を閉めて、身をひそめていたのであった。

いつか夜が来ていた。胡桃《くるみ》林の中であった。樹林を透かして、冬の月光が青く散っている。姫が！　勘助は叫んだ。途端、二、三間離れたところから、こんどは夜鳥が何羽かけたたましい羽音を立てて飛び立って行った。

二度目の昼を迎え、二度目の夜を迎えた。勘助は歩きづめに歩いていた。

「どこへ行きなさる？」

誰かに一度だけ声をかけられたような気がする。いつ、どこでのことだったか判《わか》らない。訊《き》かれたことだけを微《かす》かに覚えているだけである。どこへ行こうとするのか！

由布姫が居なくなったこの地上で、自分は一体どこへ行こうとしているのか。勘助はただ歩きづめに歩いた。

深夜だった。勘助は眼覚めた。彼は磧《かわら》の上に倒れ眠っていたのである。どこを見ても、白い石許《ばか》りだった。白い石がごろごろと転がっている。あたりには一本の草も生えていない。そして、磊々《らいらい》たる石の原の向うを、月光がきらめきながら一本の青い水の帯が走っている。そしてその向うには、また白い石の原があった。

ううむ。勘助は磧の上に坐ると、両の拳《こぶし》を眼に当てた。突然何の前触れなしに突き上げて来た嗚咽《おえつ》に、彼は体を震わせて堪えていた。

由布姫は死んだのである。姫はもうこの世に居ないのだ。どこを探しても、あの美しい姿を、顔を、手を、眼を、黒い髪を、再びこの自分の眼の中に収めることはできないのである。悲しみが初めて、素直に勘助の五体を痺《しび》らせて来た。

――姫は亡くなったのだ。

涙は勘助の両眼に溢《あふ》れた。勘助は両手を胡坐《あぐら》をかいた膝《ひざ》の上に置くと、顔を上げ、涙が頰《ほお》を伝わるにまかせた。手放しで泣いた。

その翌日の夜、勘助は諏訪湖の西岸へ出た。どこをどう歩いて来たのかも判らなかった。道を北に取って、勘助は高島城の方へと歩いた。高島城へ近づいてから、勘助は湖の対岸に火が水平に一線をなして燃えているのを見た。高島城下から観音院のある小坂部落へかけて点々と篝火《かがりび》が焚《た》かれているものらしかった。火は湖面に映って、この世のものとは思われぬ美しさであった。

高島城へはいって、最初に会った武士の一人に、勘助は由布姫の葬儀がいつ行われたかを訊《たず》ねた。

「今日暮六ツ（午後六時）でございます」

質問者が勘助であることを知った武士は、丁寧な態度で答えた。

「棺は高島城から出たか、観音院から出たか」

「観音院でございます」

「上様は」

「小坂にいらっしゃるという噂《うわさ》でございます」

「よろしい」

勘助に放免された武士は、あわただしく駈け去って行った。その武士が報《しら》せたのか、高島城の門の前には、多くの武将が勘助を出迎えていた。

「直接観音院をお訪ねしようと思う」

勘助はそう言うと、高島城へはいらず、その城門の前を小坂部落の方へと歩いて行った。馬をすすめられたが、勘助はそれを断った。何騎かの騎馬武者が勘助の背後から来て、彼を追い越して行った。由布姫が毎日のように眺《なが》めていた湖岸の道を、勘助は重い足を引きずり、ゆっくり歩いて行った。

観音院へ上がる坂道には、多勢の武士たちが出迎えていた。勘助はその方には見向きもしないで、槍を杖にして歩いて行ったが、途中で気付いたように路傍の武士を招《よ》んで槍を与え、武具の乱れを両手で直した。

観音院の建物全体をゆるがすように読経《どきよう》の声が聞えている。勘助は玄関からはいり、廊下を踏み、由布姫の居間であった奥座敷の方へ進んで行った。

部屋には多数の人たちが居た。武田家の重臣という重臣の顔は見えている。仏壇は床の間に祀《まつ》られ、その左右に人々は居並んでいた。

「帰って来たな、勘助！」

信玄の声であった。

「は」勘助は平伏した。

「由布姫は帰らぬが、勘助の方は帰ると思った」

「は」

「疲れたろう、休むがいい」

勘助は起ち上がって、真新しい仏壇の前に行き焼香した。位牌《いはい》には、珠光院高安聖源大姉とあった。

勘助はそこを下がると、信玄の前に坐った。勘助は悔みを述べるつもりだった。すると、信玄は、勘助の口から言葉が飛び出す前に、口を開いた。

「伊那が少しざわついている」

「伊那が⁉　お討ちになればよろしゅうございます」

「上州の長野信濃守、武州の太田入道がこうるさい」

「それもお討ちになることでございます」

「討つか⁉」

「は、上様に盾《たて》つく者はみな討ち果しましょう」

「謙信景虎を討つのが少し遅くなるが」

「遅くはならぬでしょう。伊那を平らげ、上州を討ち、武州を従え、時を移さず景虎の息の根を断ちましょう」

それから勘助はきっと顔を上げて、信玄を見詰めた。

「ここ三、四年の間に、景虎の首級を挙げなければなりませぬ」

「三、四年⁉　勘助、いやに気が早いな」

「上様も、そうなさらないと、お気持が大変でございましょう」

勘助は言った。信玄はこんどは返事をしなかった。伊那を平らげ、上州を、武州を、そして最後に宿敵景虎を討つことが、これからの何年かの間の勘助の生き方であった。それ以外に、勘助にはいかなる生き方も考えられなかった。おそらく信玄も、自分と同じことであろうと思った。

「勘助、また顔がめちゃくちゃになったな。一体傷は幾つある？」

「三十六創かと思います。――上様はお幾つになられました？」

「余の年齢を忘れるとはおいぼれたな。余は間もなく三十六歳になる。勘助の体の傷と同じだな」

二人の会話は、その周囲に居並んでいる極く少数の武将たちにしか聞えなかった。読経が、二人の声を押し包み押し流していた。この年天文二十四年は十月に弘治《こうじ》と改元したが、その弘治元年もいまや残すところ十五日で終ろうとしていた。

勘助は座敷を退出すると、縁側に出た。湖岸の篝火はまだ赤々と燃え熾《さか》っていた。勘助は由布姫の居なくなったこれからの日々を、合戦で埋める以外仕方がなかった。それに信玄が同意したことが満足だった。

勘助は、縁側伝いに、勝頼の居間の方へ行った。勝頼は、二晩通夜をしたあとなので、疲れて眠っていた。勘助は、そっと部屋にはいった。

「誰か」

凛《りん》とした声と一緒に、十歳の勝頼は起き上がった。頼もしかった。

「勘助めでございます」

「爺《じい》か、生きていたのか」

「死んでよかろう筈《はず》はございませぬ。稚児《わこ》さまの初陣《ういじん》を見ますまでは、死んでも死に切れませぬ」

「うるさい爺は、まだ生きていたのか。母上が亡くなったので爺も死んだかと思った。どうせ生きたのなら、もう五年生きていてくれぬと困る」

「なぜでございます」

「勝頼は十五歳になる。初陣を見てもらいたい」

「おお！」

烈《はげ》しい感動が勘助の体を貫いた。

「爺は、勘助めは――」

あとが言えなかった。激情が満々たる水のように彼を襲っていた。勘助は初陣の勝頼の姿を眼に浮かべていた。初陣の勝頼の顔は、彼が十年前に初めて高島城で見た一人の少女の顔に置きかえられていた。どちらがどちらか区別がつかなくなっていた。勝頼と由布姫の顔が、勘助の頭の中で混乱した。もうこの世から姿を消した姫が、再びこの世に生れ出た気持であった。

姫さまは生きている。姫さまは生きている！　明日からの彼を取り巻くべきどす黒い合戦合戦の明け暮れの中に、今や一すじの華やいだ光りが、どこからともなく射《さ》し込んで来た思いであった。

十一章

由布姫死去の悲歎がまだ薄らがない弘治二年三月、信玄は早くも伊那に軍を進めた。勘助もこの作戦に従軍した。

木曾との合戦の時は、まだ馬が使えたが、こんどは馬というものが、殆《ほとん》ど使えなかった。天竜川の急湍《きゅうたん》をはるかに下に見て、切り削ったような急峻《きゅうしゅん》な山の中腹を走っている道を、部隊は何日も一列になって行進した。幾つかの曾《かつ》て人の通ったことのない山をも越した。

伊那渓谷のあちこちに散在している小さい城を、武田軍は次々に攻略して行った。出陣半月後に、越後の謙信が川中島へ出張って来たことが報ぜられた。部隊は天竜川の大きい彎曲部《わんきょくぶ》の、広い磧《かわら》の一角に、十数軒の農家が寄り添っている小さい部落に駐屯《ちゅうとん》していたが、直ちにこれについての対策が、陣中で開かれた。

「たいしたことはない。ほっておいて、伊那の諸城砦《じょうさい》を全部攻略してしまおう。謙信が南下して来た時は、伊那から引いて、全軍でこれに当ればいい」

信玄は言った。信玄は強気だった。

「わたくしも、それに賛成でございます」

と、勘助は言った。この勘助の言葉は、他の武将たちには意外だった。いつもこうした場合、豪胆な信玄を諫《いさ》めて、慎重な作戦を練るのが、勘助の役目だったからである。

飯富《おぶ》三郎兵衛昌景《さぶろうひょううえまさかげ》が、真先きに反対した。

「謙信以外の敵なら、それもよろしゅうございましょう。併《しか》し、謙信に対して、そのような態度を取ることだけは避けて戴《いただ》きたいと思います」

次々と戦功を樹《た》てている若い武将は言った。秋山伯耆守《ほうきのかみ》晴近もこの飯富説を支持した。

信玄は、併し、伊那平定を謙信出現の声に怯《おび》えて、中途で放棄《ほうき》することはいかにも残念のようであった。

「まあ、いいわ」

そんな言葉で何とかごま化してしまう腹らしかった。そして、

「勘助、どう思う?」

信玄が言った時、勘助は、

「飯富殿のお言葉も至極尤《もっと》もと存じます。私は上様と同じ考えでございますが、それは誰も異存がない時のことでございます。反対があるならば、これは考えなければいけないと存じます」

「では、何とする?」

「飯富殿のお説のように、軍の半分を動かして北信へ向うべきでありましょう」

勘助は言った。ひどく素直だった。こういうところだけが勘助は信玄と異っていた。

「誰が行く?」

「それは上様でございましょう」

「余は厭《いや》だ」

信玄は言った。

「北信へ出張るだけのことで、合戦があろうとは思われぬ」

「そりゃあ、そうでございましょう。上様直々の出張と知って、戦《いくさ》をしかけて来る謙信ではございませぬ」

「余は厭だ。誰か他《ほか》の者に行って貰《もら》いたい」

「他の者が参りますと、これは合戦になります。それこそ容易ならぬ事態になります。やはり、上様に御足労願わねばなりませぬ」

勘助はそう思っていた。北信へ一兵をも差し向けないのならそれはそれでいい。併しかりそめにも、軍を動かすとなると、その総帥《そうすい》は信玄でなければならぬ。

陣中の評定《ひょうじょう》が終ると、軍の一部を残して、信玄は川中島を目指して発向した。勘助は伊那に残って、攻略作戦を続けることになった。

果して、信玄の予想通り、北信では戦端は開かれなかった。謙信は善光寺に陣を取ったまま動かず、信玄は茶臼山《ちゃうすやま》に布陣して、これまた動かなかった。対峙《たいじ》月余にして、五月一日に、謙信は陣を払って、越後へ帰って行った。それに続いて信玄も軍をまとめて、再び伊那に帰った。

信玄が北信にある間に、勘助の手によって、伊那の諸勢力は尽《ことごと》く平らげられていた。降人は尽く許され、従わざる者は一人残らず誅《ちゅう》されていた。

「上様の御威光を望まぬ者は、もはや伊那の国には一人もおりませぬ」

勘助は言った。

「溝口、黒河口、小田切は？」

信玄が訊くと、

「みな誅戮《ちゅうりく》いたしました」

「宮田、松島、砥野島《とのじま》は？」

「それも成敗致しました」

「羽生、稲部等は？」

「それも」

「斬《き》ったか？」

「は」

信玄にも不気味に感じられたほど、勘助は顔色一つ動かさなかった。

「それでは、みんな処断したのではないか」

「みな、あいまいな態度を取りましたので、将来の禍根を断ちました。併し、従った者は一人をも損じませぬ」

勘助の言う通り、勘助の軍に何倍かする程のおびただしい数の伊那の降人たちは、天竜川の磧に、何十の斑《ふ》となって屯《たむ》ろしていた。信玄も、他の武将たちも、勘助が少数の兵力で、いかにして長く武田氏に抵抗して来た伊那の諸城砦をいっきに粉砕することができたか、理解できなかった。

武田軍は、その夜、広い磧で、戦捷《せんしょう》の酒宴を張った。

秋山伯耆守晴近は二百五十騎の侍大将として、伊那の郡代を命ぜられ、高遠の城を守ることになった。飯富三郎兵衛昌景は五百騎の大将となり、春日弾正忠は信州先手の高坂の名跡を継いで、高坂弾正忠昌信と名乗り、四百五十騎の将として、北信に派遣されることになった。秋山晴近で伊那を押え、高坂弾正忠をもって謙信を押える布陣が、ここに完成したわけであった。

その夜遅く信玄と勘助は、本陣にしてある農家の奥座敷で相対していた。

「さてこれから、どうする?」

「上州を撃ちましょう」

「武州は?」

「結構でございます。それも撃ちましょう」

「また誰か反対せぬかな」

「大丈夫でございましょう」

二人は思わず顔を見合わせた。信玄はにやりと笑ったが、勘助の方は笑わなかった。二人は暫《しばら》くお互いに、相手の眼を見入っていた。

「ずるいな、勘助」

突然信玄は言った。

「何がずるうございます？」

「伊那攻略の時は、勘助がうまいくじを引いた」

「それは致し方ありませぬ」

「こんどは余が合戦に出る。とやかく言われては困る」

「何も申しませぬ。勘助もお供仕ります。退屈なお留守役はごめん蒙《こうむ》りとうございます」

二人は、こんどこそ一緒に笑いかけたが、同時にそれをやめた。ふいに、この世に由布姫の居ないことが、足許《あしもと》から吹き上げて来る風のように、二人を同時に襲って来たからであった。

その年の秋から、風林火山の旌旗《せいき》は半年と古府にとどまることはなかった。まるで飢えた虎《とら》が獲物を求めるように、武田軍は合戦を求めて、四方に進発して行き、闘い、勝ち、そしてまた古府へ帰った。

信玄が笛吹峠を越して上州に発向し、瓶尻《かめじり》の合戦で、長野信濃守の大軍を破ったのは弘治三年のことである。この合戦が終るか終らないに、またまた謙信の川中島への出張の報に接し、信玄は軍を北信に移動させた。

いつものように、この場合も、両軍はお互いに決戦を避けて、対峙したまま夏から秋を過し、謙信が軍を引き上げるに及んで、信玄も亦《また》軍をまとめた。

弘治四年、改元あって、永禄《えいろく》元年と号した。この年四月、謙信は兵八千を率いて信濃にはいり、武田氏の勢力範囲である海野《うんの》に放火した。信玄は小室城に居たが、これに取り合わず、城砦の補強工事に意を用いた。不気味な静けさが両軍の動静のうちにはあった。誰の眼にも、甲越両軍の大々的衝突の近いことが感じられた。

八月、信玄は思いがけず将軍義輝からの甲越両軍の和睦《わぼく》を図った内書を受け取った。

『年々兵を出して上杉謙信と戦い、境内更に穏やかならず、これ独り人民の苦しむのみにあらず――』

内書にはこのような文句が書きつけられてあった。

信玄は勘助にこれを示した。勘助はすぐ、

「御返書をお認《したた》めになりましたか」

と訊《き》いた。

「認めた」

「どのようにお書きになりましたか」

「これだ」

信玄は奉書に楷書《かいしょ》で認めた長文の書状を示した。それは将軍義輝への返書ではなく、戸隠《とがくし》神社へ奉納する信濃掌握の祈願文であった。将軍義輝の越甲和睦の勧告状ほど、信玄にとって、滑稽《こっけい》な無意味なものはなかったのである。

そしてその勧告文の最後には『謙信にも亦この旨趣を示さんとす』とあったところからみると、謙信にも同様な内書が下されたものと推測された。併し、謙信からも何の反応もなかった。おそらく謙信にも亦、これほど滑稽なものはなかったに違いない。

翌永禄二年二月下旬、再び将軍義輝からの越甲講和の使者として、僧瑞林《ずいりん》が甲斐へやってきた。同様、越後の謙信のもとへは、大館晴光《おおだてはるみつ》が派遣されたということであった。信玄は、はっきりしたことを言わないで、いい加減にあしらって、僧瑞林を帰した。

そのことがあってから二カ月した四月初旬の夜のことである。突然勘助は信玄から呼び寄せられた。深夜だった。勘助が信玄の居館に伺候《しこう》すると、信玄はにやにやしな

がら、

「謙信が将軍に謁《えつ》するために、上洛《じょうらく》の途に上ったという報が、いまはいった」

と言った。信玄は言い終ってから、体を小刻みに震わせていた。刻《とき》を移さず越後に打ち入りたい気持らしかった。

「確かに千載一遇の好機でございます。この機会をできるだけ有効に使わないとなりません。併し、まだ決戦の時期ではございませぬ」

勘助は言った。彼は謙信との決戦の場は北信の原野でなければならないと思っていた。いま謙信の留守の間に、越後へ乱入すれば、あるいは謙信の兵力を再び起《た》つことができない程、痛めつけることができるかも知れない。併し、謙信の息の根をとめることは難しい。

その考えを勘助が述べると、

「では、この機会をどうする？」

信玄は訊いた。

「高坂昌信殿をして、川中島周辺の地の敵の勢力を一掃させて戴《いただ》きます。そして、勘助に一城を築かせて戴き度うございます。城さえ出来上がれば、いつ謙信を迎えても、決戦できると思います」

「城が必要か？」

「必要でございます。犀川《さいがわ》か、千曲川か、そのいずれかに沿った要害の地に一城が欲しゅうございます」

「そうか、それならばそうしたらいい」

信玄は静かに言った。なぜ城が必要か、それについては質問しなかった。

越甲両軍の衝突が、どちらかが倒れなければならぬ死闘である以上、城というものは、作戦の上ではたいして必要なかった。そこに拠《よ》っていて、撃って出るわけのものでもなく、退《ひ》いてそこへはいれるわけのものでもなかった。併し、勘助は城が欲しかった。堅固でさえあれば小さい城でよかった。二、三百の兵力が収容できれば、それで充分である。

おそらく武田軍は捷《か》つであろう。謙信の軍は切り崩されて、浮き足立つ。その時、城から少数の新手の兵力が、その側面を衝かねばならぬ。越後勢の最後のとどめは、その少数の新手の兵力に依《よ》って刺されねばならぬ。そして、その最後の殊勲部隊の指揮者こそは、他ならぬその日初陣の若き勝頼でなければならぬのである。

勘助は勝頼のために、勝頼の初陣のために、要害の地に一城が欲しかったのである。

信玄は、それを知っているのか、いないのか、勘助の言を採用した。

そして、その夜、時を移さず北信の地に駐屯《ちゆうとん》している高坂昌信へ、進発の指令は発せられた。早馬は次から次へとあわただしく古府の城下を出発して行った。

当時尼飾《あまかざり》城にいた高坂昌信は命に依って、信越国境方面へ出動、次々に諸城を陥れ、五月には越後勢の前線拠点である高梨城をも手中に入れた。

その高梨城を陥れた報がはいると、勘助はすぐ古府を出発して、北信の地に向った。甲越両軍の決戦地を想定し、そこに勝頼のために城を造るためであった。何十回往復したか判らぬ甲信国境の高原地帯を、勘助は馬をゆっくり歩ませて行った。曾《かつ》て、ここを一人で疾駆させたことがあったが、いまは六十七歳の勘助であった。二十数人の武士たちに守られ、時々馬を休ませては、周囲の山野の春の景色に眼を遣《や》った。

勘助は時々耳の穴へ小指をつっ込んだ。絶えず耳鳴りがしていて、それが合戦の時の遠い喚声のように彼には聞えるのであった。

勘助は上田に着くと、その翌日、二十数名の供を連れて、上田から千曲川に沿って歩いて行った。

その日、千曲川、犀川の合流点で、凱旋《がいせん》途上にある高坂昌信と会った。高坂は千曲川の磧《かわら》に部隊を駐屯させ、二、三人の武士を伴って、勘助が休んでいる三角洲《す》の一角へやってきた。勘助は立ち上がって、信玄と同年配の若い武将を迎えた。高坂昌信は小柄《こがら》な、顔の小さい、頗《すこぶ》る風采《ふうさい》の上がらぬ武人であった。

「御老体、御苦労さまでございます」

高坂はぼそぼそとした声で言った。

「貴公こそ、この度は抜群のお働き、さぞお疲れのことでございましょう」

勘助も対等の礼儀をもって応《こた》えた。今や高坂昌信の手に依って北信一帯の地は武田氏の有に帰していた。

二人はそこに床几《しょうぎ》を並べて腰かけた。二間とは離れぬところを犀川の水が流れ、河岸一帯には芦《あし》が生い茂っていた。そして、二人の居る磧を挟《はさ》んで、その反対側を千曲川の流れが、犀川とは一廻り大きい川幅と水量で流れている筈であったが、その方は二人の視野にははいっていなかった。磧の白い石にも、犀川の黒っぽい川波にも春の陽《ひ》が散っていた。のどかだった。

口数少ない二人の武将の間に、ささやかな酒宴が開かれた。傍《はた》で見ていると、勘助と高坂は親子のように見えた。

勘助は、高坂昌信については、この若い武将が驚くほど合戦上手であるということ以外、余り知るところはなかった。いかなる評定の席でも、彼はめったに口を開くことはなかった。誰の眼にも、それは無口というより、自分の意見というものを持ち合わせていない人物のように見えた。

　そして、いかなる命令でも、彼はかしこまってそれを受け、それを完全に遂行した。こういうところが、彼の得なところでもあり、損なところでもあった。人はこの若い武人を信用したが、決して大物には見ていなかった。信玄でさえそうであった。少し難しい合戦が予想されると、すぐ、

「高坂をやるか」と言った。

「高坂をやれ」は信玄の口癖であった。それには八分の信頼と二分の軽蔑《けいべつ》感がこめられてあった。合戦さえあてがっておけば、高坂昌信はそれで充分満足し、充分悦《よろこ》んでいるように考えられていた。現在、越後勢に対する第一線の総指揮官として、尼飾城に駐屯させられていた。勿論《もちろん》、高坂を除いては、この大任を果す人物は見つからなかったが、併しまた、この遠隔の危険な地に留められているということは、彼が信玄の帷幄《いあく》に参ずる幕僚として重んぜられていない証拠でもあった。

　勘助は、この武将に前から好感を持っていた。併し、彼に対する認識は、やはり他の者と同じ程度のものであった。勘助は、いくら長く黙っていても、いっこうに気がかりにならぬ武人と二人だけの酒宴が娯《たの》しかった。彼は時々、盃《さかずき》を取り上げては、高坂昌信に酌《しやく》をしてもらい、それを口に運んでいた。

と、突然、無口な武人は口を開いた。

「ちと、御相談に乗って戴きたいことがございます」

そう言って、高坂昌信は、近くに侍《はべ》っていた武士たちを遠ざけた。

「なんですかな」

勘助は顔を上げた。

「ここから一里ほどの地点に城が一つ欲しゅうございます」

「なるほど」

そう言って、勘助ははっとした。彼のこんどの旅の目的は、一つの小さい城を構える地点を物色することに他ならなかったからである。

「城とな」

勘助は言った。

「そうでございます。どうしても城が一つ欲しゅうございます。私は多少は築城についての工夫も持って居りますが、でき得るならば御老公のお指図を受けたいと思っております」

「どうして、城がお要り用かな?」

勘助は訊いた。すると、高坂昌信は、静かに顔を上げて、勘助の顔を見入った。

「越後との決戦は、いずれにせよ、この付近一帯の地かと存じます」

「いかにも」

「善光寺山から上田原《うえだはら》へかけて――」

「そう」

「犀川と千曲川に挟まれました一帯」

「いかにも」

「合戦の時期は、今年の暮か来春、遅くても来来春と考えます。ここに城を造る余裕はあるかと存じます」

「その合戦に、どうして城が要り用と考えられるかな」

「それは」

　と、高坂は語を切って、

「勝頼様をお入れして、いささかでも支え、お命全うして戴きたいのでございます、武田家はその合戦で打ち絶えてはなりませぬ」

　勘助は、自分でも知らぬ間に、高坂昌信に烈《はげ》しい眼を当てていた。一言も口からは発しなかった。

　勘助はまた勝頼を入れるための一城を欲していた。併し、勘助の場合は、すべて勝利を予想しての上のことであった。敗走する越後勢の横腹に突入して、その最期《さいご》のとどめを刺す小部隊を入れる城であった。勝頼に殊勲を樹《た》てさせるためだけの意味を持った城であった。ところが、高坂昌信の場合は全く反対だった。武田勢敗北の予想の上に立った考え方であった。

「味方は破れるとお考えかな？」

勘助は訊いた。

「十中八九まで、勝利を占めることは難しゅうございましょう」

ひるまず高坂は言った。

「して、どういう理由で？」

「その折の合戦は武田勢にとりましても、越後勢にとりましても、最後の一兵まで闘う合戦でございましょう。永年の対立から考えましても、また上様と謙信との性格から考えましても、途中でどちらかが軍を引くことはあり得ません」

「それは勿論のこと。勘助もそう考えます」

「どちらかが勝ち、どちらかが敗《ま》けます。敗けるとすれば――」

「味方と考えられるか」

「はあ」

「この武田が敗れる!?」

「武田は苦しい合戦を致して居りません。これまで、いつも作戦で勝って居ります。少ない兵力が大軍の敵を破り、損害少なく相手を屠《ほふ》って居ります。併し、越後勢との決戦の折は、勝敗は最後まで見透しつかぬと思います。お互いに大方の武士たちを失い、布陣は乱れに乱れます。その上での勝負でございます。もはや作戦は物を言いません。一人が一人を殪《たお》すか殪さないかであります。一向宗徒との絶えざる合戦で、乱戦に慣れた越後勢は勝ち、乱戦に慣れぬ甲斐勢は破れましょう」

そう言い切ると、それでぷっつりと口を噤《つぐ》んだ。不遜《ふそん》とも思われる言葉であったが、それを臆《おく》せずに言い切ったところは、勘助には見事に見えた。

勘助は黙って考え込んでいた。自分がたいして眼もくれていなかった若年の武将から、ふいに痛いところを衝かれた思いであった。すると、また高坂昌信は続けた。相変らず、口調はぼそそとした引き立たぬものであった。

「武田勢が破れるとすれば、憚《はばか》ることではありますが、上様も、義信様も、御親族御一統も御討死は免《まぬか》れぬことかと存じます。お若い方が武田の血を絶たぬように、生きなければなりませぬ。勝頼様だけは助からねばなりませぬ。敗戦の責任を負う必要は少しもないと思います。勝頼様を落ちのびさせるためには、どうしても、暫《しばら》く敵を支える城が必要でございましょう」

「判りました」

きっぱりと言って、

「お希望通り、及ばずながら城を造るお手伝いをしましょう」

それから、あとは勘助は押し黙った。勘助は時々高坂の盃に酒を充《み》たしてやり、高坂は勘助の盃に酒を充たした。

広い磧には幾つかの固塊《かたまり》に分れて武士たちが屯《たむ》ろしていた。凱旋途上ののびやかなものがどの部隊の小さい動きの中にも感じられた。勘助が自分の老いを感じたのは、武田氏へ仕官して以来、この時が初めてであった。自分は高坂昌信に敵《かな》わないと思った。

高坂の言葉は、まさに武田勢の持つ弱点を指摘したものであった。信玄は巧妙なる作戦によって、これまで四隣を征服することができたが、今やそのために却《かえ》って危地に立たなければならなくなっていたのである。誰にも判らなかったが、高坂昌信の眼には、それがはっきりと判っていたのである。

高坂の言葉は、勘助自身にも痛かった。彼が武田氏に於《おい》てこれまで果して来た軍師としての役割を、高坂の言葉は容赦なく批判したものであった。確かに、謙信との死闘に於ては、もはや作戦というものは大して意味を持たないもののようであった。作戦家としては謙信は謙信で一家をなしている。信玄と謙信はその点まさに互角と言うべきであった。最後の勝敗を決するものは、乱戦の中の、最後の一兵の粘りである。一人一人が相手を殪すか、殪さないかである。高坂の言うように、信玄も嫡子《ちゃくし》義信も討死するかも知れない。この勘助はもちろん、他の老臣重臣たちも余さず屍《しかばね》を川中島に曝《さら》すかも知れない。

勘助は今まで一度でも敗戦を考えたことはなかった。いかなる場合でも、勝利だけを考えて来た。その自信が憑《つ》きものでも落ちたように、いま六十七歳の老いた体から堕《お》ちたのである。うらうらとした春陽を浴びて、勘助と高坂昌信の酒宴は半刻《はんとき》ほど続いた。二人はもはや余り何も喋《しゃべ》らなかった。

勘助はそこから高坂と一緒に尼飾城へ引き上げた。勘助はもっと若い武将の身近に居たかったのである。

勘助はいったん古府へ引き返すと、こんどは築城のために必要な人数を連れて、再び北信の地へ向けて出発した。六月であった。

併し勘助は途中で引き返さねばならなかった。謙信入洛中、居城春日山城の留守を承っていた長尾政景が、武田氏の勢力範囲である戸隠に侵入して来たという報を受けたからである。高坂昌信の手に依って平定した北信の地は再び戦場に化そうとしていた。

七月中旬、勘助は信玄と共に軍を率いて、古府を出て小室城に駐営した。そうしているうちに、謙信は京都より帰り、春日山城にはいった。もはや、越甲両軍の衝突はいつ起っても不思議はなかった。

勘助は、併し、高坂昌信の言葉を忘れてはいなかった。両軍の衝突の前に、北信の地に、一城を築かねばならなかった。信玄は古府に留まるより、進んで小室に本営を移すことを望んだが、勘助は、それを押えていた。謙信を刺戟することを恐れたのである。

翌永禄三年正月、古府の居館で、新年の賀筵《がえん》が開かれた。各地から武将たちが集まった。その席上で信玄は改めて、本営を小室に移すことを家臣に図った。謙信との決戦のことを考えると、誰にも、それは当然のことに思われた。

勘助は一人でそれに反対した。

「いずれはそうしなければなりませんが、もう暫く御猶予《ゆうよ》なさる方がよろしいかと存じます」

「いつまで猶予する」

信玄は訊いた。度々のことで不機嫌であった。

「城ができるまででございます。三月に城ができれば三月にお移りになってよろしゅうございます」

言い出すと、勘助は諾《き》かなかった。第三者には老人の一徹に見えた。

その時も、高坂昌信は一言半句も口を出さず、黙って坐っていた。勘助にしてみると、高坂でも自分の意見に賛成してくれれば助かると思ったが、彼は決して助言しなかった。

ただ、評定が終って勘助が廊下に出た時、高坂があとから追いかけて来た。

「どうも有難うございました」

一言言ってあとは声を低め、

「松井の郷小淵《こぶち》という部落がございます。そこに築城したら如何《いかが》かと考えます。一度土地を相して戴き度うございます」

と言った。そして、

「土地は千曲川に沿って居ります」

「ほう」

「全くの防衛の土地でございます」

「攻撃には？」

「さあ、不向きかと存じます」

「防禦《ぼうぎょ》によければ――」

「そう、防禦の点から見れば、ちょっとあれだけの地形はございませぬ」

「それならそこがよろしいでしょう」

二人は、そんな短い会話を取り交わして、それで別れた。

併し、春から夏へかけて、越後勢は間歇《かんけつ》的に北信に侵入して来て、城を築く暇はなかった。勘助は自分の一存で築城するなら、いくらでも築城することはできたが、高坂昌信に図って、彼の意見も充分入れたものを構築したかった。それには高坂昌信の方に暇がなかった。

勘助は二回北信に出掛けて行って、高坂の言った松井の郷小淵の里というところを点検していた。高坂の言葉のように、防禦という点から考えると、これだけの地形を持った場所はちょっと見当らなかった。

そこは千曲川に臨んだ丘陵であった。西北から流れ来たった千曲川は断崖《だんがい》の裾《すそ》を洗い、川中島方面に対して一大障碍《しょうがい》を為《な》している。そして丘陵の北方から東北方へかけては、金井山、扇平山、雨巌山等が重畳《ちょうじょう》と重なり、これまた自然の障碍たり得ている。そしてここを経て尼飾城への退路をも造ることができる。また東方にも、奇妙山、堀切山、立石山等の山々が屛風《びょうぶ》のように立ち並んで兵馬の侵入を許さない。しかもここを経て、小室へ通ずることもできる。それから西方も高地である。ただ開けているのは西北の一面だけで、千曲川を隔てて川中島方面に展開している。

勘助はこの地に城を築くことに異存はなかった。あとは暫くの間合戦騒ぎが静まり高坂昌信に暇ができるのを待つばかりであった。勘助はこの地を見た時、ここに造られる城には海津《かいづ》城という名をつけようと思った。千曲川の流れは、恰《あたか》も海の如く滔々《とうとう》と流れ、城はそれに沿って構築される筈であったからである。

その海津城の工を起したのは、その年の九月であった。勘助は昼夜兼行で、三カ月で城を構築し終ろうと思った。一刻を争う程、四囲の情勢は緊迫していたからである。

そして予定通り、城は十一月に竣工《しゅんこう》することができたのであった。本丸、二ノ丸のほかに五つの城楼を造り、それを千曲川と外濠《そとぼり》とで囲んだ。外濠には、一番狭いところでも八間の幅を持たせた。そして城の西北に神社を建て、近郷の八幡宮《はちまんぐう》の神社の神霊を勧請《かんじょう》した。

信玄は城の命名を構築者勘助に命じたので、勘助は最初考えたようにこれに海津城の名を付けた。城ができ上がるや直ちに高坂昌信が城代として、尼飾城からここに移り、尼飾城には替って小山田備中守が入った。

高坂昌信が海津城に入った日、その一カ月前から小室に駐営していた信玄は、勘助を連れて海津城にやって来た。高坂が案内役で、信玄と勘助は本丸の西北隅の櫓《やぐら》の上に登った。越甲両軍の決戦地と想定されている川中島を中心とする平原は彼等の眼下に拡《ひろ》がっていた。ゆるやかな屈曲をみせて、犀川の流れは平野を二つに割っている。

三人は、それぞれ思い思いの感慨をもって、暫く晩秋の平原を見降ろしていた。勘助には高坂昌信がいま何を見ているかよく判っていた。彼の眼に映っている平原は決して明るいものではないであろう。

勘助自身は少し違っていた。彼はこの城を構築している時は、高坂昌信と同じ考えを持っていたが、城ができ上がった現在は違っていた。謙信がこの城の意味をどのように考えるか、その反応が、全く思いがけず彼の関心を捉《とら》え出したのである。合戦を前にこの城をここに築いたということは、何らかの意味をもって謙信に受け取られる筈である。ここに城ができたということは、平原に於ける一木一草の意味を全く変えたものにしてしまっていた。

勘助の眼は、いつも彼がこの櫓に上がった時、そうであるようにいつかぎらぎらと輝き出していた。勝たなければならぬと思う。

と、突然、信玄が口を開いた。

「海内《かいだい》に並ぶなき城だな」

静かに信玄は言った。

「え？」

と、勘助は訊《き》き返した。

「月にいいだろうな、月に。毎年ここで観月の宴を張ることにしたらどうかな」

言われてみると、なるほど、この城から見る月明の夜の眺《なが》めはすばらしいものであろうと思われた。合戦とは凡《およ》そかけ離れた観月の宴のことを考えている信玄が、勘助にはやはり大きく頼もしく見えた。

高坂昌信は敗軍の収容を、勘助は是が非でも勝利へ持って行く作戦を、信玄は観月の宴のことを考えていたのであった。

十二章

永禄四年を迎えた。

謙信は信玄との決戦の時期を延ばして、その鉾先《ほこさき》を小田原の北条氏に向けた。正月、前線拠点厩橋《うまやばし》城にあって、謙信は関八州はもちろんのこと遠く奥羽《おうう》の諸将にまで参陣を招請した。

信玄は、古府に於《お》いてこの報を受けるや事態の容易ならざることを知り、直ちに海津《かいづ》城に部下諸将士の参集を命じた。

若《も》し謙信が北条氏を屠《ほふ》った場合、謙信の勢力が一挙にして何倍かになることは明らかであった。そして北条氏打倒の余勢を駆って、謙信はそのまま甲斐、信濃に乱入して来るものと思われる。かかる情勢下に於ては、武田氏としては、その兵力を信越国境に集め、匕首《あいくち》を越後の心臓部に突きつけておくことが必要であったのである。

海津城に到着すると、信玄は、部下将士の部署を定め、いつでも越後へ進撃できる体制を整えて、そのままそこに待機させた。北条氏には援軍として小部隊を送った。

大部隊を割《さ》くことはできなかった。古府に残した守備部隊でさえ小勢力であった。武田氏の兵力は尽《ことごと》く北信の地に集められたのである。

三月、謙信は関東奥羽の諸将の兵力を合わせ、九万六千の大軍をもって、北条氏を小田原城に囲んだ。小田原城が陥落したら、時を移さず、信玄は越後に兵を進めるつもりであった。信玄のこれまでの四十一年の生涯《しょうがい》の中で、最も多忙な、最も不安な一時期であった。

この期間、勘助は無口になっていた。彼は小田原城が陥落しないことのみを祈っていた。小田原が陥落すれば、好むと好まないに拘《かかわ》らず、武田勢は謙信の留守を衝いて越後に乱入しなければならぬ。謙信は替って甲斐に乱入する。――そのあと、情勢がいかに展開して行くか、それは人間の智慧《ちえ》では判断できないことであった。あとはもう、人間の智慧などの与《あずか》り知らぬものであった。作戦でも、兵力でも、合戦《かっせん》の上手下手でもなかった。あるものは運だけであった。信玄の才能も豪胆さも無力であった。勘助も高坂昌信も要らなかった。

そんな状態のもとに、勘助は信玄を謙信と闘わせたくはなかった。

謙信は三月十三日、小田原城の総攻撃を開始したが、城は要害堅固をもって知られ、しかも城兵よく防戦して容易に落ちなかった。謙信は冒険を打ち切り、同月末、ついに城の囲みを解いて軍をかえすに到《いた》った。

小田原城攻撃を中途で放棄した謙信が、今やその面目にかけても、武田勢と雌雄を決する挙に出て来ることは明白であった。謙信は六月末、居城春日山《かすがやま》城に帰るや、兵馬を休養させた。

勘助は、謙信が北信に兵を進めるのは秋の半ばと見ていた。関東出陣十一カ月に亘《わた》っていた越後勢には、少なくともそれまでの休養期間が必要であったからである。併《しか》し年を越すことはあるまいと思われた。謙信にとっては、小田原城攻撃放棄の不名誉を回復することは、一日も早いのに越したことはなかったからである。

海津城の守将高坂昌信に、謙信出馬の情報がはいったのは、八月十四日の夜であった。兵数凡そ一万三千、富倉峠を越えて、飯山にはいり、川中島方面へ向けて進撃中という報《しら》せであった。

海津城の背後の狼烟山《のろしやま》に烽火《のろし》が揚がった。火の柱は中天めがけて噴き上がり、火の粉が夜空の闇《やみ》を焦《こ》がした。

狼烟は次々に、南方に向って配せられている山々に於て揚げられて行った。五里ヶ嶽、二木ヶ峰、腰越、長久保、和田峠。遠く甲斐の国へ向って、火の柱は次々に受け継がれて山々の頂きに立てられた。それに呼応するように、騎馬武者たちは、二騎三騎ずつ一組になって、海津城の城門から、夜の闇の中へ走り出して行った。

信玄が狼烟で急を知ったのは十五日の夜、最初の急使に依《よ》って敵の兵力を知ったのは十六日の朝であった。急使が到着した時は、古府の城下にはすでに出陣部隊の武士たちが充満していた。

それから三日間に亘って、部隊は幾組にも分れて城下を進発して行った。信玄の率いる主力部隊が出動したのは一番最後の十八日であった。

勘助は最初の部隊に加わって、真先きに古府を後にした。天文十二年初めてこの土地を踏んでから、二十年近い歳月が流れていた。勘助は生きて再びこの土地を踏むことはあるまいと思った。勝敗の予断は全くつかなかったが、併し彼は、高坂昌信の言うように、敗《ま》けようとは思わなかった。勝利は信玄の肩の上に置かれなければならぬ。是が非でも勝たなければならぬ。

併し、なぜか、自分が生きてこの土地を再び踏むとは思わなかった。今度の合戦で死なない限り、他の合戦では死のうとは思われぬ。いつまでも永劫《えいごう》に生きて行きそうな気がする。併し、人間には死期というものがあるであろう。そうすれば、その自分の死期というものは、やはりこんどの合戦のような気がする。寿命を断ちに、いま合戦は自分にやって来つつある。そんな気持だった。

勘助は北信を目指して進んでいる部隊から離れて、五人の従者を連れて、諏訪高島城へ向った。信玄の本隊が古府を進発するのは二日あとだったので、勘助はその間に、二つの事をしようと思っていた。一つは観音院の丘陵にある由布姫の墓を詣《もう》でること、もう一つは、勝頼を迎えることであった。勝頼を迎えることは勿論《もちろん》勘助一人の計らいではなかった。信玄もこんどの謙信との合戦を勝頼の初陣《ういじん》の舞台として選ぶことに賛成していた。

諏訪へはいると、勘助は、古府からの本隊に合するために、続々と進発して行く部隊とぶつかった。勘助はその最初の部隊の武将に依って、勝頼が半年程前から伊那へ行っていることを知った。伊那の郡代は秋山信友で、高遠《たかとお》の城を守っていた。従って勝頼は、こんどの急を高遠城で聞いたわけで、秋山晴近と共に進発して来るものと思われた。

勘助は今明日のうちに同じこの道を秋山軍は通るだろうと思った。そこで勝頼を迎えればいいわけであった。勘助は勝頼の初陣に自分が一切の世話をやきたかった。自分が彼の供をして、合戦場へ出向かなければ気がすまなかったのである。

勘助は、そのまま馬を高島城へ向けた。併し高島城下へはいっても、城へははいらなかった。勝頼がそこに居ないと判《わか》ってみれば、何も出動準備で混雑を極めている城内へはいって行く必要はなかった。勘助は城門の前を通り抜けると、そのまま馬を諏訪湖の湖岸に沿って進めた。勘助を先頭に主従六騎は申し合わせたように身を二つに折って向かい風の中を馬を走らせた。陽《ひ》は既に落ちようとして、最後の陽の輝きが、銹《さ》びたような色を湖面一面に漂わせていた。

勘助は時々馬を休ませた。いっきに駈《か》けきることは苦しかった。今までに何回この道を駈けたか判らなかったが、途中で馬を停《と》めるということはめったになかった。やはり老齢から来る衰えは争われなかった。馬を停めると風が頬《ほお》に冷たかった。秋の風であった。

由布姫の墓は、彼女が長く住まい、そこで息を引きとった観音院の丘陵の中腹にあった。由布姫が他界してから、いつかもう五年余の歳月が流れている。

勘助は従者たちを垣《かき》の外に待たせておくと、自分だけ墓所にはいって行った。そして彼は、恰《あたか》もそこに由布姫その人が坐ってでも居るかのように、墓石の前に跪《ひざまず》いて、

「姫さま」

と口に出して呼んだ。

「姫さま、お久しゅうございます。この一年合戦合戦に明け暮れて、思わぬ御無沙汰《ぶさた》

をいたしました。さぞお淋《さび》しいことでございましたでしょう。併し、お悦《よろこ》び下さいませ。いよいよ待ちに待った上様が謙信と雌雄を決する日は参りました。謙信が勝つか、上様が勝つか、地下から御覧になっていて下さいませ。上様が勝たないで何といたしましょう。姫さまは、ほんとに、上様がお好きでございましたな。姫さまがお好きだった上様が勝たないで何といたしましょう。上様が天下に号令する日は、極《ご》く近いことでございます。私はこんどの合戦のために今日まで生きて参りました。それでなければ、なんで今日まで生き永らえましょう。勘助はとうに死んでおります。姫さまがお亡《な》くなりになった弘治元年の十二月に、姫さまのお供をいたしております。ああ、あの日は随分と寒い日でございましたな。あんな日にお亡くなりになったのですから、随分とお寒いことでございましたでしょう」

勘助は口をもぐもぐさせて喋《しゃべ》り続けた。喋り出すと、いつまでも言葉は切れなかった。次から次へと、言葉は彼の口から飛び出した。

勘助はふと面《おもて》を上げた。馬蹄《ばてい》の響きが風に乗って聞えて来たからである。高島城から進発して行く騎馬隊の蹄《ひづめ》の響きであろう。それが湖面を渡って聞えて来るものとみえる。

「それからもう一つぜひ申し上げなければならぬことがございます。それは勝頼さまの初陣でございます。十六歳の勝頼さまの御出陣でございます。御名跡諏訪家の血は立派に勝頼さまのお体を流れております。姫さまも随分お苦しみでございましたな。雪の日に高島城を抜け出して、勘助を心配おさせになりましたな。あれはまるで、つい昨日の事のようでございます。併し、今ともなれば姫さまもお悦び下さいますでしょう。今や諏訪家のお家の血が――」

ここまで言った時、勘助ははっとして口を噤《つぐ》んだ。由布姫のあの特徴のある澄んだ笑い声を、ふと耳にしたように思ったからである。

「何をお笑いになります？」

すると、こんどは笑い声ではなく、明らかにすすり泣きと思われる声が聞えて来た。

「姫さま、お泣きになっておられるのですか」

勘助は辺りを見廻して立ち上がった。いつか夕闇がひたひたと押し寄せて由布姫の墓石を包もうとしている。

「姫さま！」

併し、こんどはもう丘陵を下から上へと吹き上げて来る風のほか、何の声も聞えなかった。

勘助はその場に立ちつくしていた。由布姫はこんどの合戦のことをどう思っているのであろうか。今自分が耳にした声は、由布姫の笑い声であろうか、泣き声であろうか。姫は一体悦んでいるのか、悲しんでいるのか。勘助は落着かぬ気持で立ちつくしていた。今の今まで、彼は今日の自分の報告を、地下の由布姫は悦んでくれるものと許《ばか》り思い込んでいた。ところが、今は何かそう割り切って考えられぬものがあった。

由布姫のあの冷い、どこかに皮肉をかくしているような笑い声は何を意味しているのであろうか。いや、あれは笑い声ではなかったかも知れない。笑い声でなかったとしたら、やはりすすり泣きの声であったろうか。すすり泣きだったとすれば、一体それは何を意味しているであろうか。その時、

「申し上げます」

と、従者の一人が垣の外から勘助に声をかけた。姿は見えなかった。夕闇は従者をすっかり押し包んでいた。

勘助はすかし見るようにして、垣の外の方へ顔を向けた。

「なんだ」

「この丘の下を今大部隊が通過しております。木曾からの部隊はここを通らぬと思います。そうすればおそらく伊那高遠の秋山様の軍勢かと存じます」

部下は、勘助が伊那部隊にいる勝頼を迎えようとしていることを知っていた。

「なに、伊那部隊！」

伊那部隊にしては少し早過ぎるとは思ったが、勘助は、すぐ確めて来るように命じた。なるほど一時風の加減で聞えなくなっていた夥《おびただ》しい蹄の音がまた聞えて来た。それも極く間近なところからである。部隊は丘陵の裾《すそ》を通過しているに違いなかった。

間もなく部下は戻《もど》って来た。

「やはり、高遠の秋山晴近様の軍勢でございます」

それを聞くと、勘助は由布姫の墓所を出た。そして部下を従えて丘陵を降って行った。

秋山信友の部隊は黙々として強行軍を続けていた。騎馬隊をところどころに挟《はさ》んだ長い徒歩部隊はいつ尽きるともなく長く続いていた。古府からの急使に依って、北信へ急行する部隊であることは言うまでもない。

「秋山様はどこにおられるかな」

勘助は馬を走らせては、部隊の切れ目切れ目でこの部隊の総大将である秋山晴近の所在を訊《たず》ねた。併し誰も知らなかった。先頭部隊だという者もあれば後尾だろうと言うものもあった。勘助は前へ前へと馬を走らせて行った。

「秋山様はおられぬか」

時々、そう叫んでは、更に馬を前へ走らせた。

月は夜半にならなければ出ないので、四辺《あたり》はひどく暗かった。左方で湖面がにぶく光って見えるほか、何も見えなかった。

「秋山晴近様はおられぬか」

勘助が何十回目かに叫んだ時、

「勘助か」

と言う若々しい声が、すぐ背後で聞えた。

勘助は馬を停めた。

「勝頼様でございますか。若殿様でございますか」

「そうだ。勘助か」

「おお」

感動が勘助の声を震わせた。すると部隊から離れた一騎が勘助の傍《そば》へやって来た。

「爺《じい》だな」

「左様でございます。お探ししておりました」

「勘助、列へはいれ！」

「は」

「一緒に話しながら行こう」

勝頼はすぐ列にはいった。勘助もそのあとに従った。

「五十騎を引き連れている」

勝頼は誇らしげな多少昂奮《こうふん》した声で言った。

「それは、それは！」

勘助は言った。五十騎を引き連れているのではなく、五十騎に護《まも》られていると言った方が正しい言い方であろうと思う。その時、勘助は、自分でも全く制御できない気持に駆られて、

「その五十騎を引き連れて、高島城へおはいりにならなければなりませぬ」

「何を言う？」

「御初陣はまだ早うございます。もう一年お待ちにならなければなりませぬ」

「ばかな、勝頼は諾《き》かぬ」

梃子《てこ》でも動きそうもない若い声であった。

「いいえ、上様の御命令でございます。勘助はそれをお報《し》らせに、わざわざここまで出向いて参ったのでございます」

「父上の――？」

「は。上様のきびしいお達しでございます」

「改めて父上にお願いしてみる」

「いいえ、それはいけませぬ。上様の御気性からして、一度お言いになった以上、お許しが出ようとは思われませぬ。一年、お待ちになることです」

酷だったが、きっぱりと勘助は言った。突然勝頼の初陣を留める気持になったことが自分でも不思議だった。が、これはこれでいいと思った。言ってしまったあと、何か吻《ほっ》とする思いがあった。

勘助は勝頼をこんどの合戦に加えることに急に怯気《おじけ》づいたのである。妙に自信のないものを感じた。由布姫の墓所を詣でてからの気持の変化であった。由布姫は、地下で、勝頼の初陣を必ずしも悦んでいないような気持がしたのである。何もこんどのような危険な合戦にこの若武者を送り込まなくてもいい。信玄には、何とでも言って、その場を繕《つくろ》うことはできるだろう。

高島城下へはいると、勘助は勝頼と、その部下を隊列から離れさせて、城門の内部へ引き入れた。城内の篝火《かがりび》の光りのもとで見ると、勝頼は顔を蒼《あお》くし、口をきりっと一文字に結んでいた。激情が彼を襲っていることは一眼で明らかだった。憤《いきどお》った時の由布姫の顔と生き写しだった。

「五十騎の将として出陣なさるより、伊那高遠の城主として、二千の部隊を率いて出陣なさる方がどんなにかよろしいでしょう。勘助命にかけても、この一年以内に若殿様が、伊那の郡代となられるように上様にお願いいたしましょう。亡き母様のお考えも同じでございます」

何と言っても、勝頼は返事をしなかった。勘助はそれには構わず勝頼を城内の奥庭に連れ込むと、

「このお城をお願いいたします。宜《よろ》しゅうございますな。では勘助はここでお別れいたします」

勘助は長居は無用だと思って、そのまま城門の方へ引き返した。すると桝形《ますがた》で、

「勘助！」

と、突然女の声がかかった。於琴《おこと》姫が篝火の光りを顔の半面に受けて、そこに立っていた。

「これは、これは於琴姫様！」

「気をつけてお往《ゆ》きなさい」

勘助は一礼して、その前を通り過ぎたが、すぐまた引き返して来た。そして馬を降りると、

「これから、勝頼様のお力になって上げて戴き度うございます。こんどの合戦の勝敗は判りませぬ。万一の時は、勝頼様をお助けして――」

「何をまた、急にそのようなことをお言いですか」

訝《いぶか》るように於琴姫は言ったが、

「わたしには何の力もありませぬが、二人の姫と信盛《のぶもり》が居《お》ります。信盛も、もう十二歳になりました。そなたがいつかおっしゃったように勝頼様のよいお力になれると思います」

「それで安心いたしました。勘助、心おきなく出陣できます」

そう言うと、勘助はまた馬に跨《また》がった。

高島城の城門を出ると、もう何も思い残すことはなかった。いつ死んでもよかった。ただ死ぬ前に謙信の首をできることなら自分の手で挙げたいと思った。

信玄の本隊一万は予定通り十八日に古府を出発すると、二十日に大門峠を越え、南信の部隊三千を加え、二十一日に腰越に到着、その夜は上田に宿営した。

海津城からの急使は次々に到着した。信玄は、謙信が全く予想を裏切って、千曲川を渡って、海津城の付近の妻女《さいじょ》山に牙《が》旗《き》を立てたことを知った。全く大胆不敵と言う他はない行動だった。千曲川を挟んで海津城と対《むか》い合って布陣することが、こうした合戦の定石《じょうせき》であったが、謙信は千曲川を渡り武田陣の背後に廻《まわ》り、自ら己《おの》が退路を断った形だった。

信玄は上田で更に北信の諸城砦《じょうさい》の兵五千を加え、総勢一万八千の勢力となった。

信玄は二十三日上田を進発、二十四日払暁《ふつぎょう》千曲川を渡って川中島平に進出、妻女山の謙信勢に相対して布陣した。そして不気味な無風状態のまま五日を過した。

二十九日、信玄は再び千曲川を渡り、全軍を海津城に収容した。

妻女山の謙信と海津城の信玄は指呼の間に相対峙《たいじ》したまま九月を迎えた。急に晩秋の気が山野に満ち、陽《ひ》の光りは弱く、冷くなった。九月九日の重陽《ちょうよう》の節句の日、海津城の将兵は本丸付近に集まり、そこで祝宴が張られた。陣中の祝宴のこと故《ゆえ》、集まる者尽《ことごと》くが武具をまとっていた。話題は妻女山の謙信軍をいつ攻撃するかであった。

「味方は二万近い軍勢、それに引き換え、敵は一万三千。城を打って出てひた押しに押せば、数の上からでも勝利は必定でござります。それに合戦を長引かせることは士気の上からも、いかがなものでございましょう」

飯富《おぶ》兵部は言った。飯富らしい正攻法の議論であった。秋山晴近も、高坂弾正忠も同じ意見であった。

「勘助はどう思う？」

信玄は訊いた。

「はあ」

と言ったまま、勘助は答えなかった。勘助に今判っていることは、この城に立て籠《こも》っている限り、武田軍は絶対に敗けないということだけだった。海津城は自分が指揮して造った絶対不敗の防御《ぼうぎょ》の城である。ここに居る限り敗けることはない。これだけが唯《ただ》一つの確実なこととして彼には判っていた。正直に言ってそれ以外のことは、何も判らなかった。城を出て妻女山を攻撃すれば勝つかも知れなかったし、敗けるかも知れなかった。

「飯富様の御意見至極御尤《ごもっと》もでございますが、なるほど勝つかも知れませぬが、それとほぼ同様の確実さで反対に敗けるかも知れませぬ」

勘助は言った。

「それはその通りだな」

信玄は笑った。信玄には、勘助がこんどの合戦に於て、臆病《おくびょう》なほど作戦に慎重なのが可笑《おか》しかったのである。折角、千曲川を渡って対岸に布陣したのに、また兵をまとめてこの海津城にはいったのは、全く勘助がそれをすすめて諾かなかったからである。

「では、勝つにはどうする？」

「向うが動くのを待ちます。向うの動き次第で、こちらの作戦は決まります。それをいま先きにこちらが動きますと、それに応じて妻女山の軍勢は動きましょう。割が悪いと思います」

「それでは向うの動くのを待つか、いつまでも」

また信玄は笑って言った。信玄はいつも勘助をいたわりかばっていた。必ずしも勘助の考えは信玄のそれと一致してはいなかったが、信玄は自分を殺してもなるべくは老軍師の意見をたてようとしていた。この謙信との一戦を目標にして、これまであらゆる辛酸を嘗《な》めて生きて来た部下に、信玄は最後の花を持たせたかったのである。

その夜、陣所に退《さ》がった勘助は高坂昌信の訪問を受けた。

「御老公にお耳に入れたいことがございます」

と、彼は言った。

「何でございましょう？」

「他でもありませぬが、この一両日中に、味方は全軍城を出でて、妻女山を攻撃することになろうかと存じます」

「なるほど」

「上様もその気におなりではないかと存じます」

「ふむ。それはまたどうして？」

「飯富様は勿論、殆《ほとん》ど全幹部がその気になっておられます」

「貴公は？」

「私でございますか。私も反対ではございませぬ。川中島に於て、川を挟《はさ》んでの合戦なら兎《と》も角《かく》、今の状況では味方の数の上の優勢が物を言うかと考えます」

勘助は黙って考えていた。名だたる合戦上手の者たちが挙《こぞ》ってそう言うのだからよもや間違いはあるまいと思う。併し、必ず勝つという絶対の自信は持てなかった。これは誰にも持てないであろうと思った。一分《ぶ》でもあやふやなものがある場合、それに武田の家運を賭《か》けていいであろうか？

「高坂様もそのお考えなら、勘助もとくと考えることにいたしましょう。併し、ともかく直接上様にお会いしてお考えを聞きたいと思います」

勘助は少し蒼《あお》ざめて言った。彼は高坂昌信を帰らせると、直ちに信玄のもとに伺候《しこう》した。

信玄は勘助の顔を見ると、いきなり、

「もう耳にはいったか」

と言った。

「確かに、上様もこちらから合戦をしかけるお考えでございますか」

「そうだ」

「その理由は？」

「難しいことを言うんだな。何も理由とてはない。急に合戦をしかけたくなった」

「そんな言い方は、勘助納得いたしませぬ」

「だが、それが本当のことだ。——合戦なさりたければなさればいい」

信玄は誰かの口まねをして、あとは大きく笑った。

「え？」と、勘助は顔を上げた。

合戦なさりたければなさればいい——勘助も亦《また》口の中で呟《つぶや》いた。由布姫がいつか言った言葉に違いなかった。

勘助はいつまでも信玄の面から視線を外さなかった。

「こんど姫さまのお墓所を詣《もう》でて参りました」

「ほう、そうか」それから、

「勝頼を高島城へ閉じこめて来たそうだな」

「お聞きになりましたか」

「そんなことはすぐ耳にはいる」

「勘助の一存で、御初陣《ごういじん》を一年延ばさせて戴きました」

「何のために延ばさせた？」

「こんどの合戦は容易ならぬ合戦でございます。若《も》し、万一――」

「ふむ。それだけの配慮をしてあるのに、勘助はなぜ大事を取る？　もうあとの心配は要らぬではないか。勝頼が居る！」

「は」

「由布姫も安心してか、余に闘えと言う。合戦をなさりたければ――」

信玄はこんども由布姫の口まねをして、先刻と同じように、大きく笑った。

その時、勘助は自分の五体に凜々《りんりん》と勇気が、ひた押しに押してくるのを感じた。自分も亦信玄と同じように、由布姫の言葉を聞いたような気がした。

「上様」勘助は身を乗り出すと、

「攻めるなら軍を二つに割きます。そして一隊をもって山上から妻女山を襲います。他の一隊は千曲川を渡り川中島に布陣しています。越後勢は山上からの攻撃軍のために、妻女山の陣を払って、千曲川を渡りましょう。その時、川中島に待機していた隊で、そのとどめを刺します」

「ふむ、して、いつがいい？」

「早い方がいいと思います」

「明日の夜？」

「いいえ」

「明後日《あさって》の夜か？」

「決行するならば今夜でございましょう。今夜なら謀《はかりごと》は外部には洩《も》れません。いま知っているのは上様と勘助だけ」

「由布姫が知っているかも知れぬ」

信玄は、その時、既に立ち上がっていた。そして何のためか部屋を出て行きそうにしたが、すぐ引き返すと、

「妻女山の急襲部隊は誰にする」

「高坂様はいかがでございます？」

「よかろう。人数は？」

「一万二千。それを高坂様の指揮下に置いて深夜城を出させます。飯富、高坂、真田、小山田の部隊はみなこの先手組につけます。まだそれまでに一刻《いっとき》はございましょう」

「残りは八千になるな」

「それを上様が率いて、払暁前《ふつぎよう》、千曲川を渡河して川中島に布陣します。山県、穴山、内藤、それに信繁殿、逍遥軒《しようようけん》殿、みなこの旗本組に入れます。幸い月は夜半を過ぎます。先手組の行動にはもって来いです。それに朝は霧が深うございます。旗本組の移動にも便利でございましょう」

勘助は言うと、信玄の前を退出した。

それから間もなく、城内の広場という広場は、出陣の武士たちで充満した。誰も一言も口をきくことは厳禁されていたので、武具の擦れ合う音や、馬の蹄《ひづめ》の音だけが、夜闇の中を不気味に聞えた。

高坂昌信の率いる一万二千の大部隊が、卯《う》の刻（午前六時）に妻女山の謙信の陣営を衝くために、深夜、城を出て丘陵の急坂を登って行ったのは月の出の少し前であった。

高坂昌信は馬に跨《また》がったまま、勘助のところへやって来た。

「御老公、一足早く城を出ます」

彼はただ言葉短くそう言った。暗いので勘助には高坂の声だけが聞えた。

「御武勲を祈ります」

「御老公も」

すぐ高坂の馬は遠ざかって行った。一万二千の部隊が城を出るには長い時間がかかった。先手組の大部隊が城を出てしまうと、あとは急にひっそりした。勘助は西南の櫓《やぐら》の下の広場で、少数の部下を率いて、旗本組の出動の時刻を待っていた。一刻あとには、この海津城には一兵も居なくなる筈《はず》であった。

勘助は長いこと身動きしないでいた。天文十二年初めて武田氏に仕えて以来二十年近い歳月が流れている。その長い歳月を埋めているものは大小の合戦のみであった。合戦以外何もなかった。大小の石がごろごろ転がっているように、合戦が歳月の上に転がっていた。

寅《とら》の刻（午前四時）、旗本軍の先鋒《せんぽう》として、山県昌景の部隊が城を出た。それに続いて穴山伊豆、武田信繁、内藤修理の順で将兵は城から抜け出して行った。

勘助は信玄の本営に従って、一番最後に城を棄《す》てた。城門を出たところで、振り返ると、無人の城砦が黒々と闇の中に坐っている。天の一方は微《かす》かに明るかったが、地上は咫尺《しせき》を弁ぜぬ闇であった。誰の眼にも城はただ黒い塊りのように見えた。併し、勘助には白昼のもとで見るように、城の輪郭ははっきりして見えた。本丸も、二ノ丸も、五つの城楼もくっきりとそこに置かれてあった。彼が自らの手で造った城であったからである。

広瀬で千曲川を渡った。平原には濃霧が立ちこめていた。武田の旗本軍はその霧の底を這《は》うようにして、次第に幅広く横隊となって展開して行った。信玄の本営が陣したのは八幡原《はちまんばら》であった。風林火山を初めとする何十本の旌旗《せいき》は霧の中に立てられた。

十三章

高坂昌信の率いる甲軍の先手組一万二千の精兵が、山上から逆落しに、謙信の陣営妻女山《さいじょ》に突入するのは卯《う》の刻（午前六時）と想定されていた。

信玄は八幡原に布陣して、絶えず物見を出して、妻女山の方向を注意させていた。依然として霧は深く、一間先きの見通しは利《き》かないが、併《しか》し妻女山に突入する味方の大軍の鯨波《とき》はここまで充分聞えて来る筈であった。

そしてその鯨波が聞えてから一刻を経ないうちに、謙信の軍勢は崩れ立って千曲川を渡り、この方面へ移動して来るに違いなかった。その獲物に、ここに待機している武田の旗本組はいっきに襲いかかるであろう。信玄にも、勘助にも、敵の総帥《そうすい》謙信の首級を挙げるのは、いまや時間の問題であると思われた。

「まだか」

信玄は何回も、物見の報告を催促した。勘助は信玄と一間も隔たらぬところで床几《しょうぎ》に腰をかけていた。

時々物見の武士が霧の底を這うようにして、姿を現した。

「妻女山の方向にはまだなんの異状も認められません。何の火か、火が三カ所で燃えているのが小さく見えるばかりでございます」

そうした物見の報告を、次々に、勘助は信玄に受けついでいた。

「先手組の攻撃は霧のため少し遅れているようでございます。なにしろこの霧では――」

勘助が言うと、

「この辺でも珍しい霧だが、霧が深かったことは味方にとって倖《しあわ》せだったかな」

信玄は言った。

「それは勿論《もちろん》。――まさしく諏訪明神の御加護でございましょう」

「味方に有利なことは、敵にも有利ではないか」

「左様、若《も》し敵も亦《また》攻撃を準備して居ります場合は」

そう言った時、勘助は、はっとして、自分でも気付かないうちに、床几から腰を上げた。

「勘助、物見に行って参ります」

そう言い残すと、勘助は自分で八幡原の低い台地を田圃《たんぼ》の方へ降《くだ》って行った。

霧はゆるく移動し始めていた。松の樹幹が、時折薄ぼんやりと霧の中に見え、また忽《たちま》ちにしてそれは霧の中に匿《かく》れた。勘助は二、三間歩いては、立ち止まった。全く濃霧の中を泳いでいる感じで、前方に何があるか判《わか》らなかった。それでも勘助はがむしゃらに歩いた。時々正面から立木にぶつかり、木の切株に躓《つまず》いた。

勘助は烈《はげ》しい不安に押し包まれていた。いま深々と彼を押し包んでいるものは霧ではなかった。居ても立っても居られないような不安な思いであった。味方はいま、謙信の首級を挙げる瞬間を待っている。併し、謙信も亦この霧の中で、虎視《こし》眈々《たんたん》と己《おの》が勝利の瞬間を窺《うかが》っているということは考え得ないであろうか。そうしたことはあり得ないであろうか。そんな莫迦《ばか》なことがあって堪《た》まるものか。併し、この不安はなんだ。霧の冷い肌《はだ》を伝わって、自分の胸に響いて来るこの不安は何だ。

突然、勘助は足を停《と》めて、

「誰《だれ》だ！」

と、大喝《だいかつ》した。馬を一カ所で乗り廻しているに違いない小刻みな蹄の響きが、直《す》ぐ近くで聞えたからである。

「風」

相手は呶鳴《どな》った。

「山」勘助は応じた。

「どけ！」

いきなり、勘助の面前に、霧の層を割って騎馬武者が現れた。

「山本勘助だ。物見か」

その声で、

「は」と、馬は高く前脚を宙に上げた。

「御注進申し上げます。この前方の田圃の中は数百の騎馬武者で埋まって居ります」

「味方か」

せき込んで勘助は訊《たず》ねた。

「味方とは思いますが、腑《ふ》に落ちませぬ」

八幡原を中心にして味方は左右に布陣を完成している。併し八幡原より後方に退がっていることはあれ、前面に進出していることはまず考えられぬ。従ってこの前方には一兵も居ない筈である。

「よし、行け！」

勘助は言うや否《いな》や、自分も亦、信玄の居る本陣へと急いだ。霧はその頃《ころ》から物凄《ものすご》い早さで流れ出した。右に左に樹林の梢《こずえ》が見えて来たり、根元が見えて来たりする。

勘助が本陣に帰った時は、本陣を取り巻いている無数の旌旗が、薄絹を透かすように見えていた。そしてその薄絹は刻一刻、取り剝《は》がされつつあった。

「上様！」

勘助が呼びかけた時、

「妻女山の方は？」

と信玄は言った。

「若しかしましたら、妻女山はもぬけの殼《から》かも知れません」

「なに！」

信玄は立ち上がった。

「前方の霧の中に、謙信は居るかも知れませぬ」

「ばかな！」

そう言ってから、

「どうする？」

さすがに信玄も声を震わせて呶鳴った。

やがて、合戦の隊形を取る法螺《ほら》の音が、低く鳴り始めた。それと同時だった。物見が一騎、続いて二騎、三騎駈《か》け込んで来た。

「大軍がここから数町離れたところに布陣し、その右翼に移動を開始しようとして居ります」

一人が言った。

「左翼の騎馬隊は東方に展開し始めております」

二番目が言った。そして最後の一人が、

「前面の部隊は越後勢と見受けます。推定一万数千」

言った時、烈しい銃声が西方で起った。

いつか霧は上がろうとしていた。大平原に散在する低い高地が、松林が、田圃が、道路が、家々の茂りが、川が、まるでもくもくと下から湧《わ》き出るように姿を現し始めていた。

勘助は見た。それは彼が生を享《う》けて初めて見る世にも恐ろしいものであった。何百の、いや何千の騎馬の集団は、平原の中を貫く三本の帯となって、いま、信玄と勘助の居る八幡原をめがけて殺到しつつあるではないか。勘助は思わず息を呑《の》んだ。はっとして見惚《みと》れていたいような、見事な敵の進撃振りであった。

次の瞬間、味方の陣営からも鯨波《とき》が起った。左翼の武田信繁《のぶしげ》の部隊である。騎馬約七百、一丸となって殺到する平原の帯の一本へ近づいて行く。

「上様！」

勘助は言った。

「作戦を誤りまして、思わぬ状況に立ち到《いた》りました」

「勝つかな」

信玄は、糞《くそ》落着きに落着いていた。

「勝たねばなりませぬ」

「勝たぬと生命《いのち》が失《な》くなる！」

「生命より御先祖に申し訳ありませぬ」

「死ぬのは厭《いや》じゃ。余は生きる！」

冗談としか思えぬことを言うと、にやりと信玄は笑った。不敵な笑いだった。そして、

「勘助、この合戦《かっせん》は高坂の先手組が到着するまでさんざんだろう。それまでに討死するなよ」

「上様こそ」

勘助は言った。彼も亦そう思う。武田の陣営で合戦上手な高坂、飯富、馬場、小山田の諸隊は尽《ことごと》く、妻女山の敵陣を衝くべく先手組に廻って、この戦場には居ない。勝利は全く彼等《かれら》一万二千の大軍が戦場にいつ参加できるかにかかっている。それまで持ちこたえたら、勝利は味方のものであろう。是が非でも、それまでに信玄を討死させてはならぬ。勘助は信玄のもとを最後まで離れまいと思った。

喊声《かんせい》は到るところで起っていた。中央の山県三郎兵衛の部隊も、右翼の内藤修理亮《ないとうしゅりのすけ》、諸角豊後守《もろずみぶんごのかみ》の部隊も、左翼の武田信繁の部隊の進撃より少しおくれて、敵の大軍の中へ割って入ろうとしていた。

勘助は、長い間何年も頭に描いて来た謙信勢との決戦を、このような苦しい状況のもとに展開しようとは思っていなかった。併し、いま、それは現実として、彼の眼の前に行われようとしていた。

霧はすっかり霽《は》れていた。大地は霧に洗われ、静かな秋の朝であった。信玄の纏《まと》っている緋《ひ》の法衣が眼にしみるほど赤かった。信玄はその上に黒糸縅《おどし》の鎧《よろい》を着し、諏方《すわ》法性《ほっしょう》の兜《かぶと》を戴《いただ》き、床几に腰を降ろしていた。その横に勘助は控えていた。法師頭に白布で鉢巻《はちまき》をし、これまた黒糸縅の鎧を着ている。

喊声は急激に昂《たか》まり、軍馬の悲痛ないななきがつんざくように一時に起った。両軍の先鋒《せんぽう》はいま衝突したのである。

緒戦から武田勢は苦戦であった。兵力の上から言っても開きがあったし、作戦の齟《そ》齬《ご》ということも大きく士気に響いていた。何と言っても、武田勢は越後勢の急襲を受けて立った形になったのである。

勝たなければならぬ。勝つためには、味方先手軍一万二千が戦線に合流するまで、頽勢《たいせい》を持ち堪《こた》えなければならぬ。勘助はただそう念ずる許《ばか》りであった。いまや作戦の割り込む余地はなかった。白兵戦だけがものを言う段階であった。力と力との押し合いであった。作戦ではみごとに、勘助は謙信に裏をかかれてしまったのである。

「信繁はどうだ?」

信玄は戦線に視線を投げていなかった。半眼を閉じて、平生《へいぜい》よりもむしろゆっくりした口調で言った。

「まだ崩れたつところへは参りませぬ」

「ほう、よくもつな」

と信玄は言った。そうした言い方が、勘助には暖く響いた。信繁の苦戦は勘助のところからでもよく判った。七百の兵力で何倍かの敵軍に喰《く》い下がっている。押されては押し返し、また押されている。

そのうちに危いと勘助は思った。敵の新手の大軍が前へ出たからである。それと殆ど同時に、今まで辛くも持ち堪えていた信繁の部隊はどっと崩れたった。一度崩れたつと人数が少ないだけに惨《みじ》めであった。なだれを打って寄せて来る敵の大軍に、あっという間にそれは呑みこまれてしまった。

すると、山県三郎兵衛の一隊一千が、側面より出て来て遮二《しゃに》無二《むに》敵を二つに割ろうとする。胸のすくような猛烈な攻めであった。

「信繁殿は崩れましたが、替って――」

言いかけると、

「山県だな」

と信玄は言った。

「そうです」

「そっちは一先ずそれでいいな。右翼は？」

「諸角隊苦戦でございます」

「まだもっているか」

「内藤隊が右へ廻って居ります。勝敗いずれとも判定しかねます」

武田信繁の討死の報があったのは、それから暫《しばら》くしてからであった。

「信繁様、御討死」

馬が前脚を折ったので、武士は刀を持ったまま、もんどり打って前へ倒れた。

「信繁様、御討死」

起き上がって、もう一度叫ぶと、彼は再び前へのめった。

勘助は近寄って武士を起すと、胸に脚をかけ、矢を一本一本抜いて行った。三本の矢が胸部を貫いていた。武士は息絶えていた。信繁も亦このようにして、三十七歳を最期《さいご》にして討死したかと勘助は思った。

「信繁は討死したか。不運な奴《やつ》だな」

信玄は言った。

「相すみませぬ」

勘助は詫《わ》びた。あらゆることが、いまや勘助には己《おの》が責任として感じられた。

「勘助、余は信繁が不運だと言っただけだ。今日未《ひつじ》の刻勝鬨《かちどき》をあげるものを」

「は」

勘助は頭を上げることができなかった。自分をかばってくれたのであろうか、あるいは本当に信玄は最後の勝利を信じているのであろうか。作戦の不首尾については何の咎《とが》めだてもない。勘助の体を激情が貫いた。信玄のためには如何《いか》なることでもしたかった。生命が一つしかないことが残念だった。勘助は糟毛《かすげ》の馬に跨《また》がり、八幡原の陣から四方に眼を配っていた。

いまや戦線は彼我《ひが》全く入り乱れ、各所に死闘を展開していた。秋の陽は冷く平原いっぱいに散り、大地はむしろ沈鬱《ちんうつ》に重く沈んで見えた。そして随所に見られる刀槍《とうそう》のきらめきはひどく静かであった。

高坂が居たら！　馬場が居たら！　飯富が居たら！　と勘助は何回思ったことであろう。騎馬長槍を誇る甲軍の精兵は、他ならぬ彼自身の作戦に依《よ》って、遠くこの戦線を離脱している。

敗退した武田隊に替って前線に出た山県隊は、左翼から中央へかけての広い戦線に亘《わた》って長い間攻勢を持していたが、これまたいつか守勢に立ち、一歩一歩後退の余儀なきに到っていた。

こうした情勢下に、右翼では諸角豊後守が乱戦の中に討死した。大将を討たれて、右翼方面は一度に浮足立った。勘助は、諸角豊後守の死を知ると同時に、八幡原が戦場化することを予感した。右翼の敗退に依って、いまや、八幡原の本営は、前面の防備を失い、直接第一線へと繋《つな》がったのである。

「上様！」

勘助が信玄に呼びかけると、信玄もこの容易ならぬ情勢に気付いたらしく、

「謙信の旗本はここを衝くであろうな」

と言った。

「でございましょうな」

「そうなった場合、一刻支えられるか」

「支えなければなりませぬ」

「支えられれば勝つ。それまでには高坂の先手組が敵の背後に廻るだろう」

「その通りでございます」

勘助は伝令を四方に走らせた。八幡原を固めなければならぬ。本営には僅《わず》か一千八百の兵力しかなかった。左翼の予備軍原隼人《はらはやと》、武田逍遥軒の一千、同じく右翼の予備軍武田義信、望月甚八郎《もちづきじんぱちろう》の八百が前へ出て来た。これで武田の全軍が戦闘に参加することになったのである。

勘助は、間もなく地軸を揺《ゆる》がす喊声の起るのを聞いた。敵の旗本三千が、数町離れた高地の上を、こちらに殺到して来るのが見える。予想した通りだった。

信玄が初めて采配《さいはい》を揮《ふる》った。旗本全員に八幡原を出て敵を迎え討つ命令を下したのである。

「上様、お馬に召しますか」

あわただしい中に、勘助は信玄に呼びかけた。

信玄は相変らず床几に腰かけていたが、ただ首を横に振った。武者人形のように微動だにしない感じだった。

「勘助は出ます」

勘助は自ら陣頭に立つつもりだった。

「先手組はまだか」

「まだでございます」

「よし、行け」

信玄は言った。窮地に立った若い武将の眼はらんらんと光っていた。

勘助は台地いっぱいに、馬を大きく乗り廻すと、広い平原の果に眼を当てた。やはり一兵の姿も見えなかった。高坂はどうしているか、馬場はどうしたのか！　絶望が漸《ようや》く勘助の心を捉《とら》えようとしている。

勘助は部下二百をその場に待機させ、自隊が信玄の最後の盾として、前線に出る時期を待っていた。

流れ矢は次々に松の幹に当って落ちた。銃声は鳴り渡り、喊声は起りづめに起っていた。僅か一町程の前方には修羅場《しゅらじょう》が展開していた。両軍互いに押しつ押されつ、死力を尽して闘っている。

勘助は馬を乗り廻しづめに乗り廻していた。平原の果に芥子粒《けしつぶ》の黒点でも現れてくれることを、彼は神に念じていた。その黒点の出現の可否に全く勝敗はかかっていた。それ以外に勝つ方法はなかった。

「上様」

勘助はまた信玄の傍《そば》に近寄って行った。すると、信玄は、

「村上義清との一戦の時も、このようだったな。余の周囲には一兵も居なかった」

村上義清との合戦に於《おい》ても、このような苦しい経験をして、しかも勝鬨を挙げたではないか！ 信玄はそう言っているらしかった。信玄はこの期《ご》に臨んでも、なお勝利だけを考えているらしかった。死の影は全く彼にはなかった。

そのうちに、武田逍遥軒の部隊が傷口でも開くように、ぽっかりと二つに割れ、そこを二、三十騎の敵騎馬隊がひと塊りになって迫って来るのが見えた。

勘助は、己が率いる逞兵《ていへい》二百に進撃の命令を下した。いまや最後の一兵も合戦の修

羅場に投入されねばならぬ時であった。

激戦は半刻以上続いていた。勘助はこれまでこれ程烈《はげ》しい合戦を経験したことはなかった。敵は是が非でもいっきに信玄の本陣を壊滅させようとしていた。二、三百ぐらいを単位として、敵の集団は、何回となく武田の本陣へ斬り込んで来た。その度に地鳴りのような叫喚と雄叫《おたけ》びと悲痛な軍馬のいななきが天地を埋めた。武田勢は武田勢でそれらを押し包み、一兵残らず打ち果そうとする。文字通り壮絶な死闘の展開であった。

勘助は絶えず己が手兵を右に左に移動させていた。信玄の居る本陣に敵の一兵をも近づけないことが、彼の受け持っている役割であった。部下は、一回移動するごとに、目立ってその数を減らして行った。

勘助は一息入れる度に、松林の中の本陣の方に眼を配った。二万余の人間が相搏《う》っている平原の中で、その一区域だけが静かであった。武田の旌旗《せいき》が何十本か真直ぐに立っている。まだ敵の一兵も、その中には踏み込んではいない。併し、それも時間の問題であった。やがて越後勢はこの地域にも充満することであろう。

「山本勘助！」

呼ばれて振り返ると、信玄の嫡子《ちゃくし》義信が馬を走らせて来た。二十四歳の若い武将は、眉間《みけん》を割られて、右頰《みぎほお》を血潮で赤く染めていた。

「父上を頼む、ここから動かないでくれ」

「して、貴方《あなた》様は？」

「敵の本陣を衝く。このままにしていたら、味方は徐々に切り崩されて行く許《ばか》りだ。あとを頼む。義信、敵の本陣を衝く」

伸るか反《そ》るか、敵の本陣に斬り込んで、謙信の首級を覘《うかが》おうというのであろう。併し、謙信の居る本陣に行き着くことは容易なことではない。何千の敵兵がその間を埋めている。

勘助は暫《しば》くの間義信の面《おもて》から眼を離さないでいた。永年、この若い武将を取り巻く勢力に、勘助は対抗して来た。勘助はこの勢力から、由布姫を護《まも》り、於琴姫を護り、そして勝頼を初めとする妾腹《しょうふく》の子等を護り抜いて来たのであった。

勘助は、併し今、自分が長く、この若い武将を、さして理由なく、彼が正室の血であるというだけで憎んで来たと思った。

義信の竜頭《りゅうとう》の兜《かぶと》の武田菱《びし》の金具には、秋の陽が弱く当っていた。紫裾濃《むらさきすそご》の鎧は破れ、青毛の馬は既に傷ついている。暫くすると、

「その役は、勘助が替りましょう」

そう静かに、勘助は言った。

「お言葉通り、このままでは一刻ももたないでしょう。頼みとする先手組は、どうしたものか、まだここに到着する気配はございません」

勘助はこう言いながらも平原の果に視線を投げていた。高坂を総指揮者とする先手組一万二千は未だその一兵をも平原に見せていない。

「勘助が敵の本営を襲いましょう。貴方様はここに踏みとどまり、右翼左翼が支え切れなくなった場合は、上様をお連れして、血路を開き、海津城まで落ちて戴きたい」

「いや、――」

義信は大きく首を振って、何か言おうとしたが、勘助はそれを遮《さえぎ》って、

「生命《いのち》を粗末になさってはいけませぬ。貴方様の生命は勘助の生命とは違います。大切な武田の御嫡子」

と、勘助は言った。曾《かつ》て勝頼のために、その生命を断ちたいと思った義信を、勘助はいまかばっていた。容易ならぬ運命が武田を襲おうとしている。この時に臨んでは、誰であろうと、武田の血である以上、これを大切にしなければならなかった。

「いや、――」

義信は諾《き》きそうにもなかった。そしていきなり馬首をかえそうとした。

「お判りになりませぬか」

勘助は呶鳴った。

「ここを動きましたら諾きませぬぞ。上様を貴方がお護りしなくて誰がお護りします」

それから彼はゆっくりと、自分の馬を前へと進めた。そして途中から曲って、信玄の居る本営の方へ登って行った。

信玄は松の木に右手をかけて、すっくりと体を真直ぐにして立っていた。悠揚《ゆうよう》迫らぬ態度で、彼は平原の修羅場に眼を遣《や》っていた。

上様すっかり御大将としての器量ができ上がりましたな——勘助はそう声をかけたかった。勘助が見たこれまでの信玄の中で、今の信玄が一番立派だった。今までは、信玄は合戦が始まると、絶えず馬を乗り廻していた。そしていかなる場合も、自分が采配を揮いたがった。併し、今日の敗色濃いこの合戦に於て、信玄は最初から別人のように落着いていた。そして大きい指令以外は総《すべ》てを部下に任せ切っていた。

松の木に軽く手を置いたまま、風景でも俯瞰《ふかん》しているように、信玄はゆっくりと平原の一カ所から他の箇処へと眼を転じている。どうしても、敗戦を凝視している武将の顔ではなかった。勘助は由布姫に今の信玄の顔を見せたいと思った。海内《かいだい》一の名将の顔である。

勘助はそのまま馬首を転ずると、すぐ田圃の一角に生き残っている手兵を集めた。そして、

「これから真直ぐに敵陣を駈《か》け抜けて、敵の本営を衝く。ただ駈けに駈けて本陣をめざせ。辺りに構うな。みなの者の生命を、いま、勘助は貰《もら》う」

と言った。

おお！　という異様などよめきが部下の間から起った。

次の瞬間、勘助は修羅場の一角目がけて馬を駈けさせていた。途中で一度彼は背後を振り向いた。予想したより多くの部下が一団となって彼について来ていた。

今や周囲のことごとくが敵であった。勘助は体を折って、馬首を舐《な》めるような姿勢を取り、刀を拝むように構えたまま馬を走らせていた。

勘助は、いつか、全身に痛みを感じていた。絶えず斬り、絶えず斬られていた。

ふと前方を見ると、槍《やり》のふすまであった。突然、馬は大きく跳ね上がった。馬は狂ったように方向を変えて横に駈け出した。そして半町程行って停まると、後脚を折り、坐るような恰好《かっこう》をした。小さい台地の裾であった。

勘助は大地に投げ出された。

起き上がろうとした時、勘助ははっとした。ふしぎに、そこからは平原が見渡せていた。田圃が見え、薄《すすき》の原野が見え、水溜《みずたま》りが見えた。そしてその平原の果に、芥子粒のような小さい黒い点が、まるで蜘蛛《くも》の子でも散らすように散らばって見えている。ああ、やっと来たと、勘助は思った。そして反射的に松林の方を見ようとした時、何騎かの騎馬武者が、彼の横を駈け抜けて行った。

勘助は立ち上がった。何人かの雑兵が右手から迫って来た。

勘助はふらふらとその方へ歩き出した。一人を斬ったが、肩を斬られた。二人目をも斬ったが、脚を払われた。勘助は地面に坐った。

「上様、先手組が来ましたぞ。勝って勝鬨《かちどき》を!」

槍が勘助の脇腹《わきばら》を刺した。彼はその柄を握ったまま立ち上がった。

平原の黒点は、その数を増していた。

信玄の居る松林の一角には、まだ風林火山の旌旗が立っていた。そしてそれを取り巻くように、何十本の武田の旗差物がまだ依然として立っていた。武田義信の一隊がそこを守っているのであろう。この乱戦のさなかに、一万二千の新手の大軍の到着は、勝利以外の何物をも約束するものではなかった。勝利は刻一刻近づきつつあった。生きなければならぬと、勘助は思った。

「山本勘助、首級を頂戴する」

ひどく若々しい声が聞えた。勘助はその方を見ようとした。何も見えなかった。

突き刺された槍の柄を握ったまま、勘助は三尺の刀を大きく横に払った。手応《てごた》えはなかった。

「勝鬨を、上様！　もう暫くでございます」

烈しい痛みがまた肩を走った。勘助は半間ほど、突き刺されている槍で手繰り寄せられるようによろめき、松の立木にぶつかった。勘助はそれに寄りかかりながらなおも刀を構えていた。

勘助の一生の中で、一番静かな時間が来た。相変らず叫声と喚声は天地を埋めていたが、それはひどく静かなものに勘助には聞えた。板垣信方の顔が現れた。信方は言った。

「随分長く生きたな。俺《おれ》が死んでから十何年も！」

すると、こんどは由布姫の顔が現れた。由布姫は、彼女が機嫌《きげん》のいい時見せた笑い方で笑った。玉を転がすように、その声は転がって来た。

「その傷は何ですか。生れつき見られない顔なのに、またそんな重傷《いたで》を負って！」

非難をこめて言う独特の由布姫の言い方の快さが、勘助の心を痺《しび》れさせた。

その時、

「山本勘助と見受けるが――名を名乗れ！」――

まだ若々しい声が聞えた。若い武士に討たれることが、勘助は何か満足だった。

「いかにも、武田の軍師、山本勘助」

言うや否《いな》や、勘助は、己《おの》が生命を断つ冷いものが、さっと首すじに走るのを感じた。

血しぶきが上がった。異相の軍師勘助の首は、その短い胴体から離れた。

その時、平原の一角では、千曲川を渡った高坂、馬場、飯富の騎馬隊が、越軍《えつぐん》の背後を衝くためにまっしぐらに駈けに駈けていた。

そして、またその時、越軍の総帥《そうすい》謙信は、金の星兜の上を、白妙《しろたえ》の練絹をもって行人包《ぎょうにんづつ》みにし、二尺四寸の太刀を抜き放つや、いままさに月毛の馬に鞭《むち》を入れようとしていた。単身信玄を襲い、いっきに宿敵と雌雄を決せんとするためである。

信玄が、その予言の如く、勝鬨を上げる、未《ひつじ》の刻までには、まだ一刻以上の時間があった。

平原はその頃から全く表情を改め、陽《ひ》は翳《かげ》り、西南にはどす黒い雨雲がもくもくと涌《わ》き起りつつあった。

解　説

吉田健一

この小説が発表された当時、一般に余り注意を惹《ひ》かなかったのは、それが『小説新潮』のような、面白《おもしろ》さで読ませるのが目的の雑誌に連載された為《ため》でもあると考えられる。小説というものに就いてどんなことが言われていても、素朴《そぼく》に面白いものは文学として扱われないのが実状であって、映画までが芸術になった今日、小説が面白くてもよさそうなものであるが、それがまだ常識になるところまで行っていないのは、一つには、面白くては頭を使わないからという理由もあるに違いない。頭を使わないから高級ではなくて、従って又、文学ではないのである。下手な小説ならば、確かに頭を使う。実は、使って見たところで始まらないのであるが、読者はそれで少しは頭がよくなった気がするのかも知れない。

一般に、時代小説というものがそういう文学愛好者に歓迎されないのも、その為に違いない。時代小説の方が現代小説よりも入って行き易《やす》いのは、昔の人間の姿が今日のよりも我々にとってははっきりしているからではなくて、時代そのものがその後に更に年月がたっていれば、丁度、人間が長い間住み付いた土地の山河と同様に、誰《だれ》の眼にも確かにそれと解る個性を生じるのである。少なくとも、実際にはそうであって、それを我々は過ぎ去った時代に親しみを覚えるという風に感じる。しかし現代にも、或《あ》るいは、我々が今日生きている周囲にもその時代の積み重なりがあって、今日の時代を他のものではなくしているのであり、ただ我々が生きるのに忙しくてそれに気付かないだけのことなのである。そしてそういう今日の時代の姿も一流の小説家、或いは寧《むし》ろ、もし一流の現代小説というものがあるならば、それを書いた際のその著者には見えている。これは枠《わく》ではなくて、普通は現実と呼ばれている。言わば、故郷の山河の様子と同じものであり、現代小説にもそれがあれば、時代小説に劣らず我々はそこに容易に入って行ける。

それよりも、『風林火山』が偶然に時代小説であるのは、その同じ偶然によってそれが現代小説でなかったということに過ぎないということが大切なので、何々小説だからどうということは、価値の問題の上では意味をなさない。時代小説の時代が古くて、その姿が今日の時代に取巻かれている我々の眼にその今日の様子よりもはっきりしていても、これは単にそういう一つの生の事実なので、それをそのまま紙上に移せるか、移せないかは小説を書くものの、現代を扱う場合と変らない秘密、或いは苦悶《くもん》に掛っていることなのである。その成功の如何《いかん》で、例えば一頭の馬が走っているのが、本当に我々の胸のうちを走り去るのか、それともただそう書いてあるだけかということまで決る。

井上氏は『風林火山』の戦国時代を我々の周囲に展開させて見せるのに、これも現代を小説で扱う場合と同じであるが、人物を登場させてこれに行動させるという方法を取っている。それは、誰でもやることだと思うものもいるに違いない。しかしこれはそう簡単な話ではないので、人物を生かすのは時代であるが、その時代を生かすのは人物であるという、こう書くことで与える印象よりは簡単でもあり、複雑でもある事情がそこにあって、そこまで行けばこれはもう方法論とか、作風とかいうことで片付く問題ではない。何が何を生かすのよりも、書くものが書いているものに血を通わせなければならないのであって、『風林火山』では山本勘助が登場し、やがて由布《ゆぶ》姫が現われる。それで信玄も生き、その部将がその周囲を取巻き、由布姫の父の諏訪《すわ》頼重《しげ》は騙《だま》し討ちに会って、そこに戦国時代がその姿を見せる。

ここで一つ、この小説に就いて考えられることは、井上氏がこの甲信地方の山に持っている理解と愛着である。山が重なっているこの地方の空気は冴《さ》えていて、そして少し平地があると思うと、直ぐ又山になり、どこへ行っても山が見えない所はない。それは言わば、日本の戦国時代というものの縮図であって、国が幾つもの小さな独立した区域に分れていたということは、ただそれだけのことではなくて、その区域々々にいるものは絶えず外に対して警戒し、策略を廻《めぐ》らして緊張していなければならなかった。領主は同時に大将であって、自分の領分を一歩出れば敵国だった。その状態は、やはり山が多くて国が無数の小都市国家に分れていた古代のギリシャに似ていて、向うの山の上に見える都市が既に敵国であるということが、ギリシャ人の精神の緊張と無縁だった訳がない。それが、この小説にもある。張り詰めた、という形容がそのまま当て嵌《はま》るのがこの小説であって、それは又、人を堪《た》え切れなくさせる代りに疲れを忘れさせる山の空気の冷たさでもある。

信玄は、ただ甲斐《かい》一国だけを守っていることは出来ない。山の向うは敵国であるということは、それが敵であるということに意味があって、これに備えることは結局はこれを討つことになる。一つの敵の向うには又敵があり、この戦国時代には至る所に張り廻らされていた敵対関係が信玄と、その謀師《ぼうし》である山本勘助の行動で明らかにされることが、今度は逆に、二人の行動に生気を与え、その言葉を、ただ紙の上に印刷された字ではなくしている。これは二人だけのことではなくて、更に又、この関係はここに登場する凡《すべ》ての人物の間に認められるものになっている。勘助は、どこまで信玄を頼ったものか解らずにいるし、信玄にとっても同じことなのに違いない。ただ、敵が同じであることがこの二人を固く結んでいて、そこには普通に友情と呼ばれているものよりももっと厳しい相互の力倆《りきりよう》に対する認識が働いている。

由布姫にしたところで、同じことである。信玄は初めは明らかに敵で、それが信玄を愛するに至ってからも、敵でなくなったとは言えない。この状態は、或るところまで行った愛情と区別が付かないもので、由布姫は、信玄が必要があればいつでも自分を殺すことを知っているし、又自分の寿命がもう長くはないことを信玄が知っていることも見抜いている。由布姫は、信玄が敵を討つ時と少しも変らない、誰にも頼らない態度で信玄を愛している。そしてそれならば、それと同じ態度で信玄は由布姫に惹かれ、勘助を信頼し、そして勘助は由布姫と信玄に一切を捧《ささ》げていると言える。ここでも、山の冷気が我々に迫って、刀の刃の色が冷たいか、温かいかはそれを見るものの状態、或いはそれよりも寧ろ、人生に就いての覚悟の仕方によるものであることが解る。妥協を排するということは、こうして線がはっきりして視界が美しくなることなのである。

この小説が信玄と謙信の出会いを避けて、川中島の戦いで謙信が信玄の本陣に現われる寸前で終っている理由も、これで明らかである。信玄の立場は謙信のでもあり、緊張とか、敵対行動とかいう、人物の個性を越えた力学的な関係で押して行くこうした作品では（それが実際には小説の本道であって、ラディゲは『ドルジェル伯の舞踏会』でこれを試みている）、謙信も登場させることは繰返しになることを免《まぬか》れない。謙信には直江《なおえ》兼続《かねつぐ》があり、恐らくは誰か美童がいて、山の向うには信玄という敵が控えている。そのからくりがこの小説では、信玄を中心に一つの図形に描かれている、と言いたくなる程、井上氏が引く線は簡潔で、それが各人物の本性を貫くものである為に、粗雑になることがない。従って、それは強い線でもあり、我々は安心して由布姫とともに花を眺《なが》めることも出来る。

それ故《ゆえ》に又、信玄が実際にこういう人物だったかという種類のことも、この小説では問題にならない。山本勘助は伝説上の、架空の人物だったかも知れないのである。そしてそれでも構わないのは、これが小説であるからではなくて、古府の信玄の世界はこの通りのものだったと言えるところまでこの小説は行っている。或る人間に就いてて或る程度以上の事実が知られていれば、その解釈の仕方にそう幾通りもある訳ではないので、それを更に突き詰めて行って我々がそこに確かに一箇の人間を認めた時、その人間はその通りのものだったことになる。時代小説ではない歴史の場合でも、これは同じなのである。文学の技巧が、又、見方が歴史では用をなさないと思っているものは、一流の歴史を読んだことがないのである。時代小説との違いは、殆《ほとん》ど書き方の問題に過ぎないのであって、それを思えば、我々には史実の点でも『風林火山』を信じることが許される。過去の時代をここまで生かした点では、歴史家の方がこの小説を手本にしていいのである。

（昭和三十三年十二月、文芸評論家）

この作品は昭和三十年十二月、新潮社より刊行された。

表記について

新潮文庫の文字表記については、原文を尊重するという見地に立ち、次のように方針を定めました。

一、旧仮名づかいで書かれた口語文の作品は、新仮名づかいに改める。
二、文語文の作品は旧仮名づかいのままとする。
三、旧字体で書かれているものは、原則として新字体に改める。
四、難読と思われる語には振仮名をつける。

なお本作品中には、今日の観点からみると差別的表現ととられかねない箇所が散見しますが、著者自身に差別的意図はなく、作品自体のもつ文学性ならびに芸術性、また著者がすでに故人であるという事情に鑑み、原文どおりとしました。

（新潮文庫編集部）

井上靖著

敦煌（とんこう）

毎日芸術賞受賞

無数の宝典をその砂中に秘した辺境の要衝の町敦煌——西域に惹かれた一人の若者のあとを追いながら、中国の秘史を綴る歴史大作。

井上靖著

天平の甍

芸術選奨受賞

天平の昔、荒れ狂う大海を越えて唐に留学した五人の若い僧——鑒真来朝を中心に歴史の大きなうねりに巻きこまれる人間を描く名作。

井上靖著

蒼き狼

全蒙古を統一し、ヨーロッパへの大遠征をも企てたアジアの英雄チンギスカン。闘争に明け暮れた彼のあくなき征服欲の秘密を探る。

井上靖著

風濤（ふうとう）

読売文学賞受賞

朝鮮半島を蹂躙してはるかに日本をうかがう強大国元の帝フビライ。その強力な膝下に隠忍する高麗の苦難の歴史を重厚な筆に描く。

井上靖著

額《ぬか》田《たの》女《おお》王《きみ》

天智、天武両帝の愛をうけ、〝紫草《むらさき》のにほへる妹〟とうたわれた万葉随一の才媛、額田女王の劇的な生涯を綴り、古代人の心を探る。

井上靖著

孔子

野間文芸賞受賞

戦乱の春秋末期に生きた孔子の人間像を描く。現代にも通ずる「乱世を生きる知恵」を提示した著者最後の歴史長編。野間文芸賞受賞作。

井上靖著　あすなろ物語

あすは檜になろうと念願しながら、永遠に檜にはなれない〝あすなろ〟の木に託して、幼年期から壮年までの感受性の劇を謳った長編。

井上靖著　しろばんば

野草の匂いと陽光のみなぎる、伊豆湯ヶ島の自然のなかで幼い魂はいかに成長していったか。著者自身の少年時代を描いた自伝小説。

井上靖著　夏《なつ》草《ぐさ》冬《ふゆ》濤《なみ》（上・下）

両親と離れて暮す洪作が友達や上級生との友情の中で明るく成長する青春の姿を体験をもとに描く、『しろばんば』につづく自伝的長編。

井上靖著　北の海（上・下）

高校受験に失敗しながら勉強もせず、柔道の稽古に明け暮れた青春の日々――若き日の自由奔放な生活を鎮魂の思いをこめて描く長編。

井上靖著　氷壁

奥穂高に挑んだ小坂乙彦は、切れるはずのないザイルが切れて墜死した――恋愛と男同士の友情がドラマチックにくり広げられる長編。

井上靖著　猟銃・闘牛　芥川賞受賞

ひとりの男の十三年間にわたる不倫の恋を、妻・愛人・愛人の娘の三通の手紙によって浮彫りにした「猟銃」、芥川賞の「闘牛」等、3編。

池波正太郎著

真田太平記（一〜十二）

天下分け目の決戦を、父・弟と兄とが豊臣方と徳川方とに別れて戦った信州・真田家の波瀾にとんだ歴史をたどる大河小説。全12巻。

池波正太郎著

忍者丹波大介

関ヶ原の合戦で徳川方が勝利し時代の波の中で失われていく忍者の世界の信義……一匹狼となり暗躍する丹波大介の凄絶な死闘を描く。

池波正太郎著

闇の狩人（上・下）

記憶喪失の若侍が、仕掛人となって江戸の闇夜に暗躍する。魑魅魍魎とび交う江戸暗黒街に名もない人々の生きざまを描く時代長編。

池波正太郎著

雲霧仁左衛門（前・後）

神出鬼没、変幻自在の怪盗・雲霧。政争渦巻く八代将軍・吉宗の時代、狙いをつけた金蔵をめざして、西へ東へ盗賊一味の影が走る。

池波正太郎著

おとこの秘図（上・中・下）

江戸中期、変転する時代を若き血をたぎらせて生きぬいた旗本・徳山五兵衛——逆境をはねのけ、したたかに歩んだ男の波瀾の絵巻。

池波正太郎著

忍びの旗

亡父の敵とは知らず、その娘を愛した甲賀忍者・上田源五郎。人間の熱い血と忍びの苛酷な使命とを溶け合わせた男の流転の生涯。

藤沢周平著
密謀（上・下）

天下分け目の関ケ原決戦に、三成と密約がありながら上杉勢が参戦しなかったのはなぜか？　歴史の謎を解明する話題の戦国ドラマ。

藤沢周平著
用心棒日月抄

故あって人を斬り脱藩、刺客に追われながらの用心棒稼業。が、巷間を騒がす赤穂浪人の動きが又八郎の請負う仕事にも深い影を……。

藤沢周平著
春秋山伏記

羽黒山からやって来た若き山伏と村人とのユーモラスでエロティックな交流――荘内地方に伝わる風習を小説化した異色の時代長編。

藤沢周平著
消えた女
―彫師伊之助捕物覚え―

親分の娘おようの行方をさぐる元岡っ引の前で次々と起る怪事件。その裏には材木商と役人の黒いつながりが……。シリーズ第一作。

藤沢周平著
たそがれ清兵衛

その風体性格ゆえに、ふだんは侮られがちな侍たちの、意外な活躍！　表題作はじめ全8編を収める、痛快で情味あふれる異色連作集。

藤沢周平著
天保悪党伝

天保年間の江戸の町に、悪だくみに長けるが、憎めない連中がいた。世話講談「天保六花撰」に材を得た、痛快無比の異色連作長編！

吉村昭著

桜田門外ノ変（上・下）

幕政改革から倒幕へ――。尊王攘夷運動の一大転機となった井伊大老暗殺事件を、水戸薩摩両藩十八人の襲撃者の側から描く歴史大作。

吉村昭著

長英逃亡（上・下）

幕府の鎖国政策を批判して終身禁固となった当代一の蘭学者・高野長英は獄舎に放火させて脱獄。六年半にわたって全国を逃げのびる。

吉村昭著

ふぉん・しいほるとの娘

吉川英治文学賞受賞（上・下）

幕末の日本に最新の西洋医学を伝え神のごとく敬われたシーボルトと遊女・其扇の間に生まれたお稲の、波瀾の生涯を描く歴史大作。

吉村昭著

天狗争乱

大佛次郎賞受賞

幕末日本を震撼させた「天狗党の乱」。水戸尊攘派の挙兵から中山道中の行軍、そして越前での非情な末路までを克明に描いた雄編。

吉村昭著

生麦事件（上・下）

薩摩の大名行列に乱入した英国人が斬殺された――攘夷の潮流を変えた生麦事件を軸に激動の五年を圧倒的なダイナミズムで活写する。

吉村昭著

ニコライ遭難

〝ロシア皇太子、襲わる〟――近代国家への道を歩む明治日本を震撼させた未曾有の国難・大津事件に揺れる世相を活写する歴史長編。

新潮文庫最新刊

船戸与一著
金門島流離譚
かつて中国と台湾の対立の最前線だった金門島。〈現代史が生んだ空白〉であるこの島で密貿易を営む藤堂は、この世の地獄を知る。

瀬名秀明著
パラサイト・イヴ
死後の人間の臓器から誕生した、新生命体の恐怖。圧倒的迫力で世紀末を震撼させた、超弩級バイオ・ホラー小説、新装版で堂々刊行。

誉田哲也著
アクセス
ホラーサスペンス大賞特別賞受賞
誰かを勧誘すればネットが無料で使えるという「2mb.net」。この奇妙なプロバイダに登録した高校生たちを、奇怪な事件が次々襲う。

西澤保彦著
笑う怪獣 ミステリ劇場
巨大怪獣、宇宙人、改造人間！　密室、誘拐、連続殺人！　3バカトリオを次々と襲う怪奇現象&ミステリ。本格特撮推理小説、登場。

酒井順子著
枕草子REMIX
率直で、好奇心強く、時には自慢しい。読めば読むほど惹かれる、そのお人柄――。「清少納言」へのファン心が炸裂する名エッセイ。

児玉清著
寝ても覚めても本の虫
大好きな作家の新刊を開く、この喜び！　出会った傑作数知れず。読書の達人、児玉さんの「海外面白本探求」の日々を一気に公開。

風《ふう》林《りん》火《か》山《ざん》

新潮文庫　い-7-7

昭和三十三年十二月五日　発行
平成十七年十一月二十日　八十刷改版
平成十九年一月三十日　九十刷

著者　井《いの》上《うえ》靖《やすし》
発行者　佐藤隆信
発行所　株式会社新潮社
郵便番号　一六二―八七一一
東京都新宿区矢来町七一
電話　編集部(〇三)三二六六―五四四〇
読者係(〇三)三二六六―五一一一
http://www.shinchosha.co.jp

価格はカバーに表示してあります。
乱丁・落丁本は、ご面倒ですが小社読者係宛ご送付ください。送料小社負担にてお取替えいたします。

印刷・三晃印刷株式会社　製本・株式会社植木製本所

ISBN978-4-10-106307-2 C0193